D0012374

La loyauté et la foi

Dans la même série

Les Loups du tsar, La naissance et la force, roman, 2009.

Les Loups du tsar, Le courage et la l'humilité, roman, 2009.

Jeunesse

Le trésor des SS, série Phoenix, détective du Temps, Montréal, Trécarré, 2009.

M'aimeras-tu assez?, Montréal, Trécarré, coll. « Intime », 2008.

Ma vie sans toi, Trécarré, coll. « Intime », 2008.

Les enfants de Poséidon, Le retour des Atlantes, Montréal, Éditions La Semaine, 2008.

Les enfants de Poséidon, Les lois de la communauté, Montréal, Éditions La Semaine, 2007.

Les enfants de Poséidon, La malédiction des Atlantes, Montréal, Éditions La Semaine, 2007.

L'empereur immortel, série Phoenix, détective du Temps, Montréal, Trécarré, 2007.

Une histoire de gars, Montréal, Trécarré, coll. « Intime », 2007.

L'énigme du tombeau vide, série Phoenix, détective du Temps, Montréal, Trécarré, 2006.

À contre-courant, Montréal, Trécarré, coll. « Intime », 2005.

De l'autre côté du miroir, Montréal, Trécarré, coll. « Intime », 2005.

Entre lui et elle, Montréal, Trécarré, coll. « Intime », 2005.

L'amour dans la balance, Montréal, Trécarré, coll. « Intime », 2005.

Trop jeune pour moi, Montréal, Trécarré, coll. « Intime », 2005.

Adulte

Le grand deuil, Montréal, Éditions Michel Brûlé, 2007.

L'eau, le défi du siècle, Montréal, Éditions Publistar, 2005.

Pour quatorze dollars, elles sont à vous (avec Céline Lomez), Éditions Publistar, coll. « Bibliographie », 2004.

SYLVIE-CATHERINE DE VAILLY

Les Loups du tsar 3

La loyauté et la foi

Les Éditions des Intouchables bénéficient du soutien financier de la SODEC et du Programme de crédits d'impôt du gouvernement du Québec.

Conseil des Arts du Canada

Nous remercions le Conseil des Arts du Canada de l'aide accordée à notre programme de publication.

Nous reconnaissons l'aide financière du gouvernement du Canada par l'entremise du Programme d'aide au développement de l'industrie de l'édition (PADIÉ) pour nos activités d'édition.

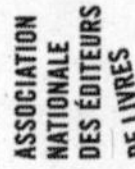

Membre de l'Association nationale des éditeurs de livres.

LES ÉDITIONS DES INTOUCHABLES
512, boulevard Saint-Joseph Est, app. 1
Montréal, Québec
H2J 1J9
Téléphone : 514-526-0770
Télécopieur : 514-529-7780
www.lesintouchables.com

DISTRIBUTION : PROLOGUE
1650, boulevard Lionel-Bertrand
Boisbriand, Québec
J7H 1N7
Téléphone : 450-434-0306
Télécopieur : 450-434-2627

Impression : Transcontinental
Illustration de la couverture : Alexandre Girard
Infographie : Mathieu Giguère

Dépôt légal : 2009
Bibliothèque et Archives nationales du Québec
Bibliothèque nationale du Canada

ISBN : 978-2-89549-376-1

Chapitre I

« Le blizzard soufflait depuis des jours, accompagné d'un froid sibérien qui s'infiltrait partout, dans toutes les demeures, jusque dans les âmes. La tempête avait déjà fait plusieurs victimes, et pas seulement humaines : un nombre impressionnant de cadavres de chevaux jonchaient le sol gelé et déjà recouvert d'une épaisse couche de neige. Pourtant, ce n'était encore que novembre, mais l'hiver avait bel et bien établi son règne pour les mois à venir, recouvrant de son lourd manteau blanc et glacial les immenses steppes de Russie. Les soldats de Napoléon Bonaparte*, à bout de forces, n'en pouvaient plus. La faim, la soif, la fatigue, mais surtout le froid boréal qui s'abattait sur eux les défaisaient mieux que ne l'aurait fait n'importe quelle armée. Le retrait des troupes françaises était entendu depuis longtemps, mais leur retour vers la France se faisait dans une lenteur maladive. Le repli était laborieux et l'empereur français, Napoléon, tentait désespérément de motiver les quelques bataillons qui lui restaient, mais les pertes, sur tous les plans, étaient trop grandes. Ses hommes avaient donné tout ce qu'ils avaient, et le moral n'y était plus. Et ce fut dans ces instants-là, déjà bien sombres, que les Cosaques* choisirent de lancer sur les groupes isolés des attaques aussi soudaines que sauvages, affaiblissant toujours plus les armées du petit caporal*. Moscou était en ruine et, même à plusieurs centaines de verstes* de là, on apercevait encore à travers les rafales l'épaisse fumée qui s'en dégageait et qui couvrait presque entièrement le ciel d'hiver.

« Napoléon avait bien espéré que le tsar capitulât, même si cette ville qu'il avait prise n'était pas la capitale impériale. Il se fiait à l'importance de la cité, à sa taille, à son envergure, pour convaincre le tsar de Russie de se rendre. Mais la réponse traîna. Devant les hésitations d'Alexandre Ier*, comprenant également que la guerre s'étirerait au-delà de l'hiver, le chef des troupes françaises proposa au tsar de signer un accord de paix.

« En réalité, les deux empereurs cherchaient tout simplement à gagner du temps : Napoléon, dans l'espoir de voir les renforts et les vivres arriver, et Alexandre Ier, dans celui de voir s'installer les grands froids. L'empereur russe savait que les hommes déjà bien anémiés du petit caporal ne supporteraient pas plus longtemps les assauts mordants de l'hiver. Ils n'y étaient pas préparés.

« Le sabotage de la ville par les Russes eux-mêmes avait eu raison des dernières tentatives de Napoléon de s'emparer de l'État slave. Des centaines d'incendies avaient été allumés en même temps pour réduire en cendre la ville presque entièrement faite de bois. L'état-major français, qui avait installé son quartier général au Kremlin*, dut fuir aussi rapidement que le feu embrasait les constructions de la cité.

« La ville brûla presque dans sa totalité en moins de temps qu'il n'en fallut pour permettre aux occupants français de trouver un nouveau refuge. Les envahisseurs avaient essuyé un premier échec, mais ils décidèrent néanmoins de demeurer sur place, gardant toujours l'espoir de voir capituler les Russes. Moscou était maintenant en ruine, mais la ville demeurait tout de même sous la coupe des troupes françaises. La progression de Napoléon avait été jusqu'ici marquante et, avant d'arriver à Moscou, l'empereur était parvenu à prendre le territoire qu'il foulait. Mais même si son armée continuait d'avancer, l'exploit était, en réalité, peu considérable puisque, au fur et à mesure que les troupes françaises progressaient, elles découvraient des villes incendiées et abandonnées par leurs populations. Les Russes préféraient détruire eux-mêmes villes et villages avant de déserter, plutôt que de céder à l'ennemi.

« Et ce fut devant la certitude que le tsar ne livrerait jamais son pays que l'empereur des Français, Napoléon Bonaparte, et sa grande armée décidèrent de rentrer chez eux. De toute façon, ils n'avaient plus les ressources pour poursuivre cette guerre qui avait déjà coûté la vie de plus de six cent mille hommes. »

La voix, chargée de passion par le récit qu'elle livrait, marqua un temps.

— Voilà, mon fils, comment ton aïeul, Alexandre 1er, est parvenu à bouter hors de la Russie Napoléon et sa fameuse armée, grâce au froid et à son esprit stratège, conclut Nicolas II en plongeant son regard bleu dans celui de l'enfant, assis sur ses genoux, qui le regardait avec toute l'admiration que lui permettait son jeune âge.

— Ce lointain ancêtre était un héros ? le questionna le jeune Alexis.

— Oui, un des plus grands que la Russie ait connus.

— Et vous, père ? Êtes-vous un héros ?

Nicolas II regarda son fils un instant, un rictus accroché aux lèvres, l'air amusé. Une grande fierté animait ses yeux de père devant ce petit bout d'homme tout juste âgé de six ans.

— Il est encore trop tôt pour le dire. Tu sais, ce sont les actes qui définissent la grandeur d'un individu… Ce n'est que toi, lorsque tu seras adulte, qui pourras juger de mes actions. On ne se proclame pas héros de son vivant !

Le tsar eut à peine le temps de terminer sa phrase que des coups de feu retentirent à l'extérieur du palais. Nicolas II se leva précipitamment en indiquant à son fils, d'un signe de la main, de demeurer là où il était. Il se dirigea ensuite d'un pas rapide vers l'une des grandes fenêtres du petit salon. La pièce donnait sur une des plantations qui formaient un ensemble spectaculaire composé de fontaines et de jardins en terrasses, un panorama d'une beauté exceptionnelle qui offrait à la façade ocre et blanche une touche toute méditerranéenne. Le palais, que l'on surnommait le « Versailles russe », donnait sur la Baltique, surplombant majestueusement le golfe de Finlande.

Se penchant à la fenêtre, l'empereur aperçut des gens qui couraient dans toutes les directions, poursuivis par les soldats d'élite de sa garde impériale. Au même moment, la porte du petit salon s'ouvrit toute grande pour laisser passer un haut gradé, responsable de la garde, Ludomir Kourine. Il salua avec empressement l'empereur.

— Votre Altesse ! s'écria-t-il. Vous devez quitter cette fenêtre et vous mettre à l'abri.

Des gardes armés et quelques nourrices suivaient l'homme de près. L'une de celles-ci s'empressa de prendre l'enfant dans ses bras pour ressortir aussitôt en courant. Le *tsarevitch** allait rejoindre ses sœurs dans un lieu plus sûr. La tsarine

Alexandra*, visiblement apeurée, arriva sur ces entrefaites, tendant les bras vers son mari.

— Oh, mon ami... Que Dieu nous préserve ! On nous attaque, les jardins sont envahis... Vite, allons nous réfugier dans la salle des gardes ! Nous y serons en sécurité.

Le roi lui prit les mains qu'il serra avec tendresse pour tenter de la rassurer. La tsarine, fragile, vivait des heures sombres depuis la naissance d'Alexis. Il tenta de saisir son regard fuyant, comme pour lui transmettre un peu de sa force.

— Alix, mon Alix, calmez-vous ! dit-il tout en douceur. Je ne vais pas aller me cacher comme un brigand. Je suis le tsar, voyons. Et je suis chez moi ! Mais vous, ma mie*, pour votre sécurité, vous devez rejoindre nos enfants qui ont besoin de vous. Attendez ensuite que nous venions vous chercher. Et ne craignez rien, nous sommes ici en sécurité. Soyez forte, Alexandra, pour nous et pour notre famille. Allez !

Sans rien ajouter, la tsarine acquiesça par petits hochements de tête nerveux. Ses yeux étaient remplis d'inquiétude, mais, avant de suivre les hommes qui devaient la mener en lieu sûr, elle tenta d'esquisser un pâle sourire que son mari lui retourna avec amour.

Nicolas II la regarda s'éloigner, l'air méditatif. Elle avait tellement changé depuis la naissance d'Alexis ; elle, qui jadis riait tout le temps, n'était plus maintenant que l'ombre d'elle-même. La maladie du *tsarevitch* lui causait une grande anxiété. Chaque nouvelle crise d'hémophilie* de l'enfant l'anéantissait toujours un peu plus. Depuis la venue de leur fils, rien n'allait plus dans l'empire. Le tsar se mordit les lèvres devant ce constat désolant. Il n'y avait pas de lien, certes, entre l'arrivée d'Alexis et les crises ponctuelles qui secouaient la Russie, mais simplement une concordance. Une bien triste analogie, en réalité.

Nicolas II vit sa femme disparaître au bout du couloir, ce qui le ramena à la réalité et à l'urgence de la situation. Il ouvrit un secrétaire en bois de rose lourdement décoré, duquel il sortit une arme à feu, avant de demander au responsable en chef de sa garde, Ludomir Kourine :

— Dites-moi ce qui se passe, Kourine. Je vous écoute.

Il ouvrit le barillet, puis en examina le contenu avant de reporter son regard sur le gradé.

— Des militants armés se sont introduits dans le parc du palais, Votre Altesse. Rien de bien inquiétant en soi, mais nous ne sommes jamais trop prudents.

— Combien sont-ils ?

— Selon nos estimations, pas plus d'une trentaine.

L'empereur sourcilla.

— Une trentaine, tout de même…, murmura-t-il comme pour lui-même. Et que veulent-ils exactement ?

Nicolas II sortit du salon, entraînant à sa suite le chef de la garde impériale et son escorte, parmi laquelle le tsar reconnut quelques Loups. Ils se dirigèrent d'un pas empressé vers les dépendances où s'organisait la surveillance du palais, là où se trouvaient les bâtiments réservés à la garde impériale.

— La même chose que d'habitude, répondit aussitôt le gradé tandis qu'ils empruntaient une volée de marches. Ce sont des quémandeurs, Votre Majesté, ils revendiquent encore et toujours la même chose, présentent encore et toujours les mêmes requêtes, vieilles ou nouvelles, peu importe, ils revendiquent… C'est toujours la même histoire ! Quelques groupuscules mécontents alimentent les insatisfactions de pauvres gens frustrés jusqu'au moment où ces miséreux décident de venir régler eux-mêmes leurs problèmes dans un tête-à-tête avec Votre Altesse. Le peuple sert et servira toujours de porte-parole à quelques éminences grises, qui les manipulent mieux encore que…

Le chef de la garde impériale ne termina pas sa phrase, réalisant soudain à qui il parlait. Ses paroles risquaient de n'être pas à propos. Il n'allait tout de même pas dire au tsar que les dirigeants manipulaient la populace. Nicolas II avait beau l'apprécier, il y avait quand même des limites à respecter. Il changea de sujet tout en espérant que Nicolas II ne lui demande pas de terminer sa phrase, mais l'empereur n'en fit rien, puisqu'il était beau joueur et, surtout, loin d'être stupide. Il n'ignorait rien de ce que la majorité des gens pensait du pouvoir. C'était ainsi et cela ne changerait pas.

— Ces misérables se figurent qu'ils n'ont qu'à se présenter ici et à vous rencontrer pour que leur vie en soit transformée !

— Il me semble cependant que ce genre d'incident est de plus en plus fréquent, constata le tsar en prenant le couloir de gauche sur l'invitation muette de son chef de la garde.

— Je vous le confirme, Votre Altesse, ces manifestations sont effectivement devenues plus coutumières. Plusieurs opposants clament haut et fort que la monarchie est dépassée, que ce régime ne sert à satisfaire qu'une seule personne dont les droits devraient revenir naturellement au peuple. Vous n'êtes pas sans savoir que certains pensent que si vous n'étiez plus au pouvoir, la Russie ne s'en porterait que mieux et que ses richesses seraient mieux réparties. Ces rebelles prônent un gouvernement qui partagerait les richesses équitablement. Mais ce n'est pas là une idée nouvelle ! Depuis que la Russie a institué l'autocratie, nous subissons les critiques de nos opposants et les manifestations de mécontents. Même dans une société parfaite, même dans leur monde idéal où les pouvoirs seraient partagés équitablement, il y aurait des détracteurs et des insatisfaits! L'homme n'est jamais content!

Kourine avait toujours eu un franc-parler avec l'empereur, et c'était une des raisons pour lesquelles Nicolas II l'appréciait. Le capitaine était efficace et direct, en plus d'avoir une vision juste des choses. Il n'alambiquait pas les explications, il les donnait et agissait, point. Le tsar obtenait toujours des réponses claires et précises de cet homme.

Tandis qu'ils approchaient du centre névralgique de la sécurité du palais, Nicolas II eut, pendant une seconde, une pensée pour le sage et regretté Gregori avec lequel, il s'en souvenait, Ludomir Kourine s'entendait autrefois très bien. Les deux hommes s'appréciaient grandement et plusieurs fois l'empereur les avait entendus philosopher sur le monde.

Bien entendu, le chef de la garde impériale ignorait tout des fonctions occultes de l'ancien Grand Maître de la confrérie, tout comme de celles de son remplaçant, Raspoutine. Mais Kourine, qui était d'une grande perspicacité, avait compris que leur place auprès du tsar avait son importance et qu'elle n'était pas uniquement basée sur un soutien religieux. L'ancien prieur du monastère Ipatiev avait su s'imposer à cet homme d'honneur et de grade par son intelligence et sa dévotion envers le tsar et sa famille. Il faut dire que le chef de la garde était un fin renard et que même s'il pressentait certaines des raisons justifiant la présence des Loups auprès du monarque, il avait également compris qu'ils œuvraient pour sa sécurité et celle de l'empire. Dans l'esprit de Kourine, tant et aussi longtemps que tous collaboraient pour le bien du pays, il n'en prenait pas ombrage. Nicolas II connaissait son intelligence tout en finesse et sa loyauté sans faille. Il savait également qu'il gardait pour lui nombre de secrets. Un jour, Ludomir Kourine lui avait dit cette simple phrase, alors porteuse de toute une connaissance :

« Je suis votre serviteur et je donnerais ma vie pour vous, sans la moindre hésitation. Je demeure dans votre ombre, bien que je sache ne pas y être seul ! »

Les portes de la caserne faisant office de logements et de locaux à la garde impériale étaient gardées par deux soldats. Elles s'ouvrirent à l'arrivée du tsar et de sa milice. Dans une antichambre se tenaient quelques soldats, attendant leur chef pour faire leur rapport. Ils saluèrent l'empereur d'une révérencieuse flexion du torse.

— Messieurs, nous vous écoutons, dit Nicolas II.

— Nous venons d'arrêter dix-sept manifestants, et une quinzaine d'autres ont été tués. Ils sont dans les geôles du château, attendant d'être interrogés, répondit le second officier, Kovelovitch, au garde-à-vous.

— Qui sont-ils ? s'enquit le tsar en croisant ses bras sur sa poitrine.

— Pour la plupart, des ouvriers, mais nous avons capturé vivants deux des meneurs qui, eux, semblent être des intellectuels.

— Des ouvriers..., répéta Nicolas II avec agacement.

Le fait d'emprisonner d'humbles travailleurs ne viendrait en rien amenuiser l'impopularité de l'empereur.

— Ce sont eux qui manifestent le plus souvent dans les rues de la capitale et dans les autres grandes villes. Leurs rassemblements sont de plus en plus fréquents, et ils recrutent un grand nombre d'adeptes.

— Oui, oui, nous sommes au courant, répondit non sans impatience le monarque, accompagnant sa phrase d'un signe de la main. Quand la nouvelle se répandra que des ouvriers ont trouvé la mort ici même à Peterhof, cela risque de soulever d'autres mouvements de protestation. C'est... embêtant !

— Nous ne pouvions faire autrement, ces gens étaient armés. De plus, ils ont passé l'enceinte du palais... Veuillez m'excuser, Votre Altesse, mais nous ne sommes pas ici dans une gare. On n'entre pas librement dans un palais sous prétexte que l'on a des choses à dire…

Nicolas II fronça les sourcils, légèrement agacé par le ton qu'employait le second pour lui faire son rapport. La familiarité avec laquelle il s'exprimait devant son roi n'était pas digne de son rang. Mais l'empereur passa outre à cette impression. Après tout, la crise qu'ils traversaient était plus importante que le ton d'un de ses capitaines. L'étiquette avait-elle toujours sa place dans une telle conjoncture ? Si c'était le cas, Nicolas II n'en avait cure.

Depuis des mois maintenant, l'*Okhrana** et la garde impériale ne faisaient qu'éteindre les feux qui se déclenchaient partout dans les plus grandes villes de l'empire. Les contestataires semblaient fort bien organisés, et la police était totalement débordée. Les arrestations, presque journalières, étaient devenues chose courante, non seulement lors des manifestations publiques, mais également au quotidien, dans les boutiques, dans les rues, à la sortie des usines. Les prisons commençaient à déborder, remplies à craquer de ces révolutionnaires et de ces penseurs qui alimentaient sans cesse les feux. Le tsar comprenait, à travers toute cette grogne, que s'exprimait la grande insatisfaction de son peuple, mais il avait beau tout faire pour y remédier, rien n'y faisait. Il ne pouvait lutter contre cette idée folle que proposaient les intellectuels : la liberté et, surtout, l'égalité pour tous. L'égalité entre les gens, le partage des biens en communauté. Plus d'autocratie, plus de castes, plus de hiérarchie sociale, plus de favoritisme, mais un juste équilibre entre les individus. La liberté pour les intellectuels détenus dans des camps et des prisons, et la liberté de pensée et de la presse.

Nicolas II comprenait également que ces revendications n'étaient en fait que des leurres visant à renverser son gouvernement, et que si le peuple optait pour ce nouveau pouvoir, il n'en serait pas davantage gagnant. Les idées des gens qui gouvernent ne servent qu'eux-mêmes, ça, c'était une évidence que le peuple ne comprenait pas. En pensant changer la tête, on suppose que le corps fonctionnera mieux. Toutefois, ce n'est pas la tête qui fait fonctionner un corps, mais son cœur. Et le cœur, dans cette métaphore, est l'organe le moins fiable puisqu'il ne raisonne pas. Il agit par passion !

— Messieurs, allons rencontrer ces protestataires et écouter encore une fois ce qu'ils ont à nous dire, suggéra le tsar. Il ne sera pas dit que le tsar ne cherche pas à contenter son peuple et n'est pas attentif à ses besoins.

Chapitre 2

Forêt de Kostroma, mai 1910

Le chef de la bande s'agenouilla à côté d'Arkadi, qui était inconscient depuis quelques secondes maintenant, et le saisit sans ménagement par les cheveux. Il avait sorti un couteau et s'apprêtait, sous le regard de ses compagnons, à exécuter le Chef de meute en lui tranchant la gorge. Il leva les yeux au ciel en marmonnant quelques paroles inaudibles, comme s'il récitait une dernière prière pour l'homme qu'il allait tuer. La scène était, disons-le, plutôt étrange. Soudain, il fronça les sourcils et arrêta son bredouillage. Il pencha légèrement la tête sur le côté, comme pour écouter, le visage soucieux et attentif. Une longue mèche de ses cheveux noirs glissa sur ses yeux méfiants qui se plissèrent.

Il lâcha la tête du Loup, qui retomba lourdement sur le sol tapissé de jeunes pousses, avant de se relever précipitamment. Ses hommes, alertés par sa réaction, se placèrent en position de combat. Un léger craquement venait de leur indiquer que quelqu'un approchait. Pendant de longs instants, la forêt fut muette. Plus aucun bruit ne vint se glisser entre les arbres, plus aucun oiseau ne gazouilla, la brise elle-même cessa d'agiter les frondaisons. Ainsi silencieuse, la forêt semblait soudain menaçante et inhospitalière.

Les hommes étaient aux aguets, scrutant les alentours à la recherche du moindre indice pouvant confirmer la présence de quelqu'un ou de quelque chose. De longues secondes s'écoulèrent durant lesquelles les assaillants d'Arkadi commencèrent à s'agiter, de plus en plus inquiets. Ils sentaient, ils devinaient qu'ils étaient observés par quelque chose, là, dans les bosquets, mais ils ignoraient d'où proviendrait ce danger et quelle était sa nature.

— Que faisons-nous? demanda à voix basse une des crapules à son chef.

— Nous attendons. Il va bien finir par se montrer... sinon, c'est nous qui irons le débusquer, répliqua le chef en regardant tout autour de lui.

De ses yeux plissés, il cherchait à percer les fourrés.

Ils attendirent encore, impatients et de plus en plus nerveux. Une certaine tension venait fragiliser ce qui, quelques instants plus tôt, les enorgueillissait encore, c'est-à-dire le meurtre du Chef de meute. Savoir qu'ils étaient épiés, que quelqu'un ou quelque chose rôdait là, quelque part autour d'eux, et qu'ils pouvaient être attaqués à tout instant les déstabilisait jusqu'à laisser s'insinuer en eux une appréhension qui bientôt se transformerait en crainte bien tangible.

Sans que rien ne se fût passé, sans même qu'ils eussent vu quoi que ce fût, leur confiance était minée, leur aplomb avait disparu. Le doute se transformait en peur et venait troubler leurs certitudes. Dans la tête des plus faibles jaillissaient les suppositions les plus effrayantes. Pour certains, simples d'esprit, une bête hideuse sortie tout droit des histoires qu'on leur racontait lorsqu'ils étaient enfants allait bondir des bois et les dévorer. Pour les autres, plus terre-à-terre, une meute de loups attendait le bon moment pour fondre sur eux et les attaquer. La tension était palpable, alors qu'aucune menace concrète ne se manifestait réellement; tout se jouait uniquement au niveau de l'imagination.

L'imagination est bien souvent notre plus terrible ennemie et cause à l'esprit une bien plus grande torture que toutes les persécutions possibles.

Ainsi, la peur se frayait un chemin dans leurs pensées, et ils commençaient à redouter le pire. Le chef de la bande tentait de se maîtriser en leur répétant qu'ils n'avaient rien à craindre, mais lui non plus n'en menait pas large. Il sentait bien que ses hommes avaient la trouille, il le percevait. Leur nervosité était palpable. Lui-même sentait monter en lui une peur qu'il peinait à contrôler. Ce silence inquiétant et cette présence évidente faisaient germer en lui de sérieux doutes sur leur aptitude à combattre cette chose, quelle qu'elle fût.

— MONTREZ-VOUS, SI VOUS ÊTES UN HOMME ! IL NE VOUS SERA FAIT AUCUN MAL ! hurla-t-il enfin, à bout de nerfs.

Le silence se referma sur ses paroles. Il jeta un coup d'œil à celui qui se trouvait à ses côtés, Kariépov, un gros lourdaud reconnu pour sa brutalité et son manque total de jugement. C'était d'ailleurs uniquement pour ces raisons qu'il faisait partie de la bande ; il servait de bras, on ne lui demandait pas de réfléchir. Il lui fit un léger signe de tête, lui intimant d'aller voir ce qui se passait.

La brute ne se fit pas prier et, avec un sourire niais, disparut aussitôt en direction des buissons. Ses compagnons suivirent leur comparse des yeux jusqu'à ne plus percevoir ni le bruit de ses pas ni le moindre tremblement de feuilles sur son passage. La forêt venait tout simplement de l'avaler. Pouf ! Instantanément, comme par enchantement, la brute s'était volatilisée.

Les autres s'agitèrent. Tout en demeurant à leur place, ils tentèrent de voir où pouvait bien être passé cet idiot de Kariépov. Mais ils ne virent rien. L'homme avait tout simplement disparu de leur champ de vision sans le moindre bruit ni même le plus petit signe de combat, comme par magie, ou plutôt par sorcellerie. L'un des hommes, effrayé, recula de deux pas pour venir se coller au groupe. Ses épaules effleurèrent celles de ses associés, et ce contact eut pour effet de resserrer le lien qui les unissait.

C'était maintenant évident : il se passait quelque chose, là, autour d'eux, et cette chose n'avait rien de naturel, ils le pressentaient. La forêt avait avalé Kariépov, le plus fort de tous. La peur se lisait sur les visages.

Dans leur dos, un léger craquement les fit sursauter. Tous se retournèrent dans un même mouvement pour faire face à la menace, armes tendues en avant, les yeux hagards. À leurs pieds, le corps meurtri d'Arkadi demeurait inerte. Le Loup était toujours évanoui. Mais il ne se passa rien. Le silence persistait, tandis que les hommes scrutaient les environs, la peur au ventre.

— Bon, calmons-nous, les gars ! Quelqu'un cherche à se jouer de nous en mettant nos nerfs à l'épreuve, dit enfin leur chef. Et si la personne qui se cache dans ces bois tente ainsi de nous effrayer, c'est probablement parce qu'elle est seule. Sinon, elle se serait déjà manifestée ! On essaie de nous impressionner…, conclut-il, tentant lui-même de se persuader.

— Ouais, ouais, tu as certainement raison, c'est ça…, confirma une des crapules.

— Alors, écoutez-moi bien, les gars, poursuivit le chef en baissant la voix. Nous allons nous séparer et partir chacun de son côté, afin de prendre ce petit plaisantin dans nos filets. On essaie de nous impressionner ? Eh bien, montrons à ce bouffon qu'il en faut plus que ça pour nous faire déguerpir. Allons-y !

Aussitôt, les sept coupe-jarrets se séparèrent pour se fondre dans les bois qui les entouraient. Mais ainsi isolés les uns des autres, ils devenaient plus faibles, et les arbres se refermèrent sur chacun d'eux.

Le silence était profond. À peine quelques instants suffirent avant que ne surgissent, des différentes directions prises par les truands, cinq individus vêtus entièrement de cuir. Un grand calme se dégageait de ces hommes. L'un d'eux se précipita sur le corps gisant du sénéchal*, qu'il examina attentivement.

— Il faut le transporter rapidement au monastère, il est très mal en point, dit simplement Sevastian en jetant un regard aux autres Loups qui s'étaient approchés pour voir comment se portait leur frère et Chef de meute.

Les bandits avaient eu raison de croire qu'une meute de loups se tenait cachée dans les fourrés, prête à les dévorer. Des sept bandits, six venaient de trouver la mort ; le septième, leur chef, gisait, inanimé et solidement ligoté.

Monastère Ipatiev,
appartements de Sevastian,
plusieurs heures auparavant

L'aurore diffusait ses premières lueurs bleutées. Les oiseaux gazouillaient en voyant poindre ce nouveau jour, et le Chef de meute, qui avait l'habitude de se réveiller très tôt, était accoudé à l'une des deux fenêtres à meneaux de sa chambre, comme il le faisait chaque matin pour contempler le panorama spectaculaire qui s'étendait du monastère jusqu'à la ligne d'horizon. C'était un de ses moments préférés de la journée : admirer le lever du soleil sur les terres sauvages qui entouraient l'abbaye. Cette profonde intimité avec le paysage lui procurait toujours un grand sentiment de béatitude, comme une prière pour le plus pieux des croyants. Il se sentait en paix avec lui-même.

Ce fut alors que Sevastian aperçut le sénéchal qui passait sous sa fenêtre pour se diriger vers les écuries et en ressortir quelques instants plus tard, à cheval. Il vit ensuite le Loup quitter le prieuré et s'enfoncer dans les bois. S'étonnant de l'heure matinale pour cette sortie bien inhabituelle, il alla s'informer auprès du gardien qui lui indiqua qu'Arkadi était allé chasser. Sevastian trouva l'attitude de son ami et frère d'armes plutôt étrange. Ce n'était pas dans les habitudes d'Arkadi de faire bande à part et de partir ainsi seul, de si bonne heure. Il pensa alors que le départ de l'enfant avait peut-être provoqué chez le Chef de meute le besoin de s'isoler, loin du brouhaha du monastère en plein éveil. La vie en communauté n'offrait jamais beaucoup d'instants de solitude, quoi que l'on en pensât.

Les heures s'écoulèrent. Malgré ses occupations routinières, le Loup ne cessait de penser à son sénéchal. Quand le soleil se trouva au zénith, voyant qu'Arkadi ne revenait toujours pas, le Chef de meute écouta enfin son instinct. Il réunit quelques Loups et leur proposa de se joindre à sa chasse. Sevastian se dit alors que si Arkadi souhaitait réellement être seul, ils feraient tout simplement demi-tour. Il ne mit pas ses compagnons au courant de ses doutes, préférant vérifier d'abord si ses intuitions étaient justes, bien qu'il ne doutât pas vraiment de celles-ci. Les Loups apprenaient dès leur plus jeune âge à écouter leur instinct et même à le développer.

Ils partirent dans l'heure qui suivit. Sevastian, accompagné de quatre autres Loups, emprunta les sentiers forestiers à la recherche de son ami, l'esprit à l'affût de toute anomalie. Et ce fut ainsi, presque une heure après leur départ, alors qu'ils cheminaient lentement au cœur de la forêt, que le Chef de meute capta la détresse d'Arkadi. Un malaise s'insinua dans son esprit et, au fur et à mesure que les chevaux s'enfonçaient dans les bois, ce trouble grandit. Sevastian se laissa guider par cet appel, avertissant enfin ses frères de ses doutes et du danger qu'il percevait. Il n'en fallut pas moins pour que les autres Chefs de meute ouvrent leur esprit et remarquent eux aussi ces ondes porteuses des difficultés qu'éprouvait vraisemblablement leur frère d'armes et sénéchal.

Trouver l'endroit où Arkadi reposait fut ensuite assez facile, puisque celui-ci chassait toujours dans les mêmes lieux. Il suffisait aux Loups de les visiter un par un, en se laissant guider par leurs sens. Quand ils découvrirent que le sénéchal avait été sauvagement attaqué et que celui qui semblait être le chef de la bande s'apprêtait à le tuer, ils décidèrent sur-le-champ d'user de quelque stratagème afin de forcer la dislocation du groupe. D'autant plus que les malfrats, en nombre supérieur, étaient manifestement des combattants exercés. Cela se voyait à leur façon de tenir leurs armes et à la discipline qui semblait régner dans le groupe. Sevastian se passa le commentaire que ces hommes, malgré leurs vêtements de miséreux, étaient vraisemblablement des mercenaires.

Les Loups infiltrèrent les pensées de leurs ennemis pour y distiller tranquillement des ondes de peur. Manipuler les pensées de leurs adversaires était une des armes les plus efficaces des Loups. Ils apprenaient à déployer cet art grâce à la force de concentration qu'ils s'acharnaient à développer dès leur plus jeune âge. Dès treize ou quatorze ans, ils passaient le plus clair de leur temps à accroître cette faculté.

En leur faisant croire à une présence hostile dans les bois, ils savaient pertinemment que ces hommes finiraient par aller voir, poussés par leur envie d'obtenir une réponse et de recouvrer le contrôle d'eux-mêmes. Dès lors, les Loups interviendraient et les neutraliseraient. Ils attendirent avec patience que les bandits se décident enfin à partir à leur recherche. Les Loups savaient que les malfrats ressentiraient leur présence et que le temps était leur meilleur atout. Arkadi semblait dans un état grave, mais Sevastian était convaincu qu'il allait tenir le coup. Le sénéchal était doté d'une constitution solide et d'une force de caractère rare.

Le plan mis en place par les Loups se déroula comme prévu. Les canailles se mirent en action, empressées de découvrir ce qui se cachait dans les bois. Persuadées également de pouvoir venir à bout de cette chose ; après tout, ils étaient sept. Sept durs à cuire qui en avaient vu d'autres.

Les Loups, très près de leurs assaillants, pouvaient percevoir leurs échanges, leurs murmures et même leurs pensées. Ils pouvaient presque sentir l'odeur de transpiration qui se dégageait de ces hommes de main. Ce fut avec une habileté digne des meilleurs combattants et une rapidité surprenante que les membres de la confrérie neutralisèrent les sept hommes, ne gardant vivant que celui qui semblait être le chef.

L'esprit collectif de cinq Loups avait eu raison de la force physique de sept hommes.

Chapitre 3

Dans une bourgade située à plusieurs verstes de la forêt de Kostroma

Le moine priait, agenouillé sur le sol en terre battue dans une petite chapelle entièrement faite de bois, à quelques kilomètres de la forêt de Kostroma. Seules ses lèvres s'agitaient dans un chuchotement à peine audible. Sa dévotion était profonde, et il y avait maintenant plus de deux heures qu'il se tenait là, dans cette position d'orant*, immobile. Il avait déjà égrainé son chapelet à plusieurs reprises et, de ses longs doigts, il reprit une nouvelle fois sa litanie, marmonnant sans reprendre son souffle des *Pater** qu'il récitait par cœur.

Croyait-il vraiment à ces prières ? Avait-il réellement foi en ces implorations, ou cherchait-il tout simplement du réconfort dans un profond recueillement ? Personne ne pouvait le savoir, si ce n'était, peut-être, Dieu lui-même. Quoi qu'il en fût, le moine y mettait beaucoup de conviction.

Ses lèvres, enfin, s'immobilisèrent, cessant toute prière. Raspoutine ouvrit les yeux, se signa et se leva en remerciant le saint Patron dans une autre langue que la sienne, comme il avait l'habitude de le faire. Le moine priait parfois en latin, presque toujours en grec, mais jamais en russe. Peut-être était-ce dû au fait qu'il avait suivi sa formation ecclésiastique en Grèce. Mais, allez savoir pourquoi, c'était toujours en italien qu'il remerciait le Seigneur.

— *Grazie, Santo Padre**.

Il passa ses longues mains sur ses vêtements pour défaire les plis et chasser la poussière qui demeurait accrochée à son ourlet. D'un pas lent, il se dirigea vers la sortie. Au moment où il poussa le battant de la porte en bois, il tomba nez à nez avec une paysanne pauvrement vêtue. La femme, surprise, se signa trois fois de suite.

— Oh ! mon père, pardonnez-moi, je n'avais pas connaissance qu'y avait quelqu'un dans la chapelle.

Raspoutine la détailla de son regard bleu et froid, sans rien dire. Hésitante et mal à l'aise devant le peu de sympathie du moine, elle lui demanda, incertaine :

— Êtes-vous l'remplaçant de not'orgretté pope* Bogrov, qui nous a quittés y a ben des semaines maintenant? On n'espérait plus vot'venue, mon père. Pouvez-vous entendre ma confession, si c'pas trop abuser de vot'temps, Vot'Seigneurie?

Le moine porta son regard vers l'horizon. La nature s'épanouissait, la journée était douce, mais quelque chose d'inexplicable et d'inconfortable emplissait l'atmosphère. Il sentait, depuis quelque temps maintenant, une urgence le gagner. Il devait partir. Il reporta son attention sur la femme vêtue pauvrement. Sa jupe était élimée, et son châle fleuri, plusieurs fois rapiécé; la misère se lisait sur son visage, pourtant jeune encore. La dure réalité qui était la sienne avait marqué sa peau de son empreinte et creusé ses traits. La vie n'offre pas à tous les mêmes possibilités. Elle n'est pas équitable. Songeur, il considérait la jeune femme sans la voir réellement, lorsqu'il lui répondit sur un ton plutôt acerbe:

— Non! Je ne peux rien pour vous. Je ne suis que de passage et je suis pressé.

Sans aucune mansuétude pour l'indigente qui le dévisageait avec ahurissement, le moine se dirigea aussitôt vers l'enclos où se trouvait son cheval. Il enfourcha la bête pour rapidement s'éloigner, sous le regard toujours interloqué de la paysanne.

Il chevaucha à vive allure sur une certaine distance avant de s'arrêter dans un boisé, à l'abri des regards. Il scruta les environs avant de descendre de sa monture. D'un geste sûr, il retira sa bure qu'il plia avec soin avant de la ranger dans une profonde sacoche de cuir. Sous sa robe, Raspoutine portait des vêtements de moujik* : une tunique brune qui se boutonnait sur l'épaule droite et serrée à la taille par une ceinture, une large culotte noire et des bottes en cuir usées. Il lissa ses longs cheveux décoiffés avant de les rassembler en queue-de-cheval. Il retira sa bague sertie d'une émeraude, symbole de sa fonction de Grand Maître de la Confrérie des Loups, et se remit en selle. Il éperonna avec vigueur les flancs de l'animal qui s'élança aussitôt au galop.

Raspoutine maintint ce rythme effréné pendant presque une heure, jusqu'à son arrivée dans le village de Kostroma. Il devait attraper le train qui le ramènerait rapidement à Saint-Pétersbourg. Le temps commençait à presser et une certaine angoisse oppressait sa poitrine.

Ses hommes n'étaient pas venus au rendez-vous. Il avait attendu leur venue pendant une journée entière, mais il fallait maintenant qu'il rentre avant que le tsar ne s'aperçoive de son absence. Il ne pouvait s'abstenir de se présenter devant l'empereur durant plus de trois jours. Au-delà de ce délai, le tsar le convoquerait assurément. Bien entendu, il pouvait prétexter une affaire urgente, puisqu'il était le Grand Maître, mais cette fois, son absence ne devait tout simplement pas être remarquée. Il fallait qu'il fût impossible de le relier à l'attentat contre le sénéchal, de quelque façon que ce fût.

Il n'aimait pas l'idée de prendre le train, mais il n'avait pas le choix. Plus vite il rentrerait à Saint-Pétersbourg, plus solide serait son alibi. Il parcourrait les verstes plus rapidement qu'à cheval, gagnant ainsi un temps considérable. En quelques heures seulement, il serait rentré.

La gare était un lieu trop fréquenté pour le moine qui, avant tout, recherchait l'anonymat. C'était pour cette raison qu'il portait des vêtements de paysan ; ceux-ci lui permettaient de se fondre dans la masse et de passer totalement inaperçu. Déjà, cette femme à la chapelle l'avait vu, et c'était ennuyeux. Mais avec un peu de chance, elle ne se souviendrait déjà plus de son visage. Et puis, qui croirait une indigente ? La parole d'une simple paysanne valait-elle celle d'un prieur, ami du tsar et de la famille royale qui plus est ?

Au moment où il pénétra dans la petite halte qui servait de gare, le train, enveloppé d'un épais nuage de fumée, faisait également son entrée. Un arrêt de quelques minutes était prévu à Kostroma, au cours du long trajet qui traversait tout le territoire russe. La petite ville bénéficiait de ce privilège uniquement parce que le monastère Ipatiev se trouvait dans la région et que les Romanov tenaient ces lieux en haute estime.

Le quai était bondé, comme chaque fois qu'un train arrivait. C'était dans les gares que les citoyens venaient chercher les nouvelles du reste du pays et colporter les dernières rumeurs. Les gens discutaient bruyamment avec ceux qui partaient ou arrivaient. Dans ces conditions, il était difficile de se frayer un chemin en toute discrétion. Quelques personnes apostrophèrent le moine, mais Raspoutine fit la sourde oreille. Son refus de répondre ne sembla pas outrer les curieux qui, déjà, se tournaient vers d'autres voyageurs, prêts à entamer la conversation.

Le Grand Maître régla le prix de son billet avec des kopecks*, sous le regard attentif du guichetier qui occupait aussi le poste de chef de gare. Raspoutine ne pouvait payer avec de l'or ; cela aurait paru plutôt étrange pour un moujik, et le fait qu'il compte ainsi ses pauvres piécettes donnait plus de crédibilité à son déguisement. Il salua gauchement le guichetier-chef de gare, gardant toujours la tête et les yeux baissés, avant de monter précipitamment à bord. Le train siffla, se mit en branle et repartit à peine trois minutes après son arrivée. Il serait dans la capitale impériale dans quelques heures seulement.

Raspoutine se dirigea vers la dernière voiture dans l'espoir qu'il y ait moins de monde. Il ne voulait pas être dérangé par des bavardages inutiles, du genre : « C'est la première fois que vous allez à Saint-Pétersbourg ? Vous y avez de la famille ? Notre printemps était hâtif, ne trouvez-vous pas ?... » Il s'installa sur la dernière banquette, dos à l'entrée de la voiture. Il espérait que là, seul et loin de tout dérangement, il pourrait réfléchir aux dernières heures qui venaient de s'écouler.

Qu'était-il arrivé à ses hommes ? Comment se faisait-il qu'ils ne s'étaient pas présentés au rendez-vous ? Que s'était-il passé après son départ pour expliquer cette absence ? Lorsqu'il les avait quittés, Arkadi gisait, sans connaissance, agonisant. Il était impossible que le sénéchal ait pu se relever et combattre ces sept fiers-à-bras, forts comme des ours et combatifs comme des Cosaques. Raspoutine avait neutralisé mentalement Arkadi ; il avait pris le contrôle de sa conscience alors que le Chef de meute se croyait seul au milieu des bois. Le moine avait infiltré son esprit sans que même le Loup n'en perçoive le moindre indice. Qu'avait-il bien pu se produire après son départ ? Il ne comprenait pas. Il aurait aimé pouvoir se projeter dans le temps pour retourner sur les lieux, mais pour cela il fallait qu'il se trouve dans un endroit calme, où personne ne viendrait le déranger.

En entrant dans la petite chapelle, il avait espéré y trouver quelque tranquillité, mais jamais le moine n'avait pu réunir les conditions essentielles à une transe. Une trop grande fébrilité l'empêchait de se concentrer ; beaucoup trop de questions se bousculant dans son esprit. Il ne parvenait pas à faire le vide. Il lui tardait maintenant de rentrer dans ses appartements à Saint-Pétersbourg et de pouvoir s'y retirer en paix.

Un autre élément venait également troubler ses pensées et hâter son retour : l'arrivée imminente de Viktor dans la capitale impériale. Ce garçon avait un potentiel extraordinaire. Raspoutine l'avait vu dès l'instant où il avait croisé son regard. Le Jeune Loup possédait un pouvoir infini et rare. Le prieur allait en faire son élève, car il voyait pour ce jeune homme un avenir prometteur. Il ignorait encore comment le jeune allait lui servir, bien qu'il eût sa petite idée. Ce dont il était sûr cependant, c'était qu'il devait le garder à ses côtés.

Appartements privés du prieur Raspoutine, monastère Alexandre-Nevski, Saint-Pétersbourg

L'appartement du moine, dans ce haut lieu de prière, ressemblait à celui de n'importe quel supérieur ecclésiastique : simple, dépouillé d'ostentation, mais confortable. S'il ne se distinguait pas par des meubles en bois rare ou par des draperies soyeuses, il offrait cependant le nécessaire à ses locataires, ainsi qu'une grande intimité. Raspoutine aimait y séjourner, car le logement, un peu en retrait des autres cellules, possédait son entrée privée et lui assurait également une couverture parfaite.

Lorsqu'il entrait au monastère, tout le monde voyait en lui le saint homme que sa renommée véhiculait. Le moine affichait en permanence cette apparence de sainteté et il mettait un point d'honneur à conserver sa vieille bure, ses bottines usées et son allure négligée. Cet aspect désintéressé qui sied aux gens pour qui les choses terrestres sont sans importance s'accompagnait toujours d'une odeur de dévotion et d'abnégation.

Raspoutine ne rêvait pas de richesses ni de titres prestigieux, et encore moins de reconnaissance. Il ne souhaitait pas être le favori d'une cour qui faisait la pluie et le beau temps dans la vie des gens ordinaires. Non, ce qu'il désirait allait au-delà de ces insignifiantes manifestations publiques. Ce qu'il convoitait depuis longtemps maintenant, c'était d'être le seul à décider de la vie des autres. De détenir le pouvoir ultime.

Le prieur déposa sa sacoche sur son lit simple, mais douillet, avant de s'y laisser choir. Les coudes sur ses genoux, il passa ses longues mains dans ses cheveux défaits, puis sur son visage, avant de pousser un profond soupir. Il était si fatigué. Cette équipée qui avait duré trois jours l'avait épuisé, mais il ne pouvait pas prendre de repos, pas maintenant. Nicolas II venait de le convoquer d'urgence à son cabinet de travail. L'ordre lui avait été transmis au moment même où il mettait les pieds dans l'enceinte du monastère Alexandre-Nevski. Il se félicita d'avoir pris le train pour rentrer.

Le moine se dirigea vers sa salle de bains privée. Il plongea sa tête dans une grande cuve d'eau glacée dans l'espoir de fouetter ses sens et de chasser cette évidente fatigue qui marquait ses traits déjà sévères. L'eau dégoulinait sur son visage, tandis qu'il fixait son reflet dans la glace. Les événements mystérieux qui s'étaient déroulés au cours des soixante-douze dernières heures l'obsédaient. Il ne comprenait toujours pas ce qui avait pu se passer. Mais pour l'heure, il devait mettre de côté ses préoccupations. Il prit un linge blanc légèrement parfumé pour s'essuyer. Il devait se presser.

Avant de quitter ses appartements, Raspoutine se dirigea vers son bureau où une pile de dossiers patientait. Il y jeta un rapide coup d'œil afin d'avoir une idée des événements qui s'étaient passés durant son absence. Il devait être au courant de tout, comme s'il avait toujours été là. Quelques secondes lui suffirent pour comprendre que rien de particulier ne s'était produit depuis le dernier attentat contre le tsar à Tsarskoïe Selo*. Il sortit rapidement de sa cellule, enfourcha le cheval qui l'attendait et galopa jusqu'au palais d'Hiver*, où Nicolas II l'attendait.

Chapitre 4

Entre-temps, quelque part sur la route entre Kostroma et Saint-Pétersbourg

Viktor rabattit enfin son capuchon. Depuis son départ du monastère, deux jours plus tôt, il avait passé la majeure partie du temps le visage caché et l'esprit fermé, totalement replié sur lui-même. Solidement accroché au Loup avec qui il chevauchait, le garçon s'était enfermé dans un mutisme complet et avait refusé de répondre aux questions de son compagnon de route. Celui-ci avait très vite compris qu'il devait laisser le Jeune Loup assimiler le choc de son départ. Tout le monde à l'abbaye connaissait l'attachement de Viktor pour Arkadi et Ekaterina, ainsi que pour la jeune Sofia. « D'ailleurs, songeait le cavalier, depuis quelques années, les relations entre les Loups et leurs novices se sont resserrées, chose que l'on ne voyait jamais du temps du Grand Maître Gregori. Peut-être est-ce là une bonne chose, au fond... » Il jeta par-dessus son épaule un coup d'œil à son jeune ami.

Le Chef de meute Anton Tcherenkov comprenait maintenant pourquoi feu Gregori mettait un point d'honneur à interdire les démonstrations affectives. Les sentiments n'étaient pas faits pour les Loups. Ils venaient biaiser leur jugement.

Même pendant les pauses et les repas, Viktor se murait dans le silence, choisissant de demeurer seul dans son coin, à l'écart des autres membres de la confrérie. Tout son être refusait ce départ, et il allait jusqu'à maudire ses compagnons de route, qui pourtant n'avaient rien à voir dans cette décision. Mais l'enfant dirigeait vers eux cette colère qu'il avait du mal à gérer. Il ne souhaitait qu'une seule chose: rentrer chez lui, au monastère, auprès de ses parents adoptifs. Sa rancœur se tournait également vers Arkadi. Il lui en voulait de n'avoir rien fait pour contrer cette décision. Personne ne s'était opposé à son départ, et cela l'attristait beaucoup. Mais Raspoutine était certainement celui envers lequel Viktor entretenait le plus de ressentiment.

Intérieurement, il haïssait le Grand Maître. Quel intérêt pouvait avoir le moine à le faire venir à ses côtés, alors qu'il n'était encore qu'un Jeune Loup ? Qu'est-ce qu'un enfant de son âge pourrait bien faire dans la capitale impériale ? À quoi allait-il bien servir ? Allait-il rencontrer le tsar ? Et, si c'était le cas, dans quel but ? Viktor ne se voyait pas à la cour. Il sentait très bien, au fond de lui, qu'il n'avait pas les lettres de noblesse nécessaires. Il était d'humble naissance, il le savait, d'ailleurs, ça se voyait. Il avait été élevé dans un monastère, pas dans un palais.

L'enfant méditait toutes ces questions depuis son départ, ressassant sans cesse les mêmes interrogations. Ces amères réflexions le plongeaient dans un découragement total. Il éprouvait au fond de lui la même impression que lorsqu'il s'était retrouvé dans la forêt pour l'épreuve du Courage : un lourd sentiment de solitude et d'angoisse. Viktor se sentait abandonné et laissé à lui-même pour la deuxième fois de sa vie. Il était seul.

Le trajet aurait toutefois pu lui être agréable, s'il s'y était le moindrement intéressé. C'était la première fois que le jeune garçon quittait la région, et les paysages qui s'offraient à lui en chemin auraient eu de quoi lui plaire, lui qui avait toujours été si curieux de découvrir le reste du monde. Même leurs escales dans les auberges, pour les repas et pour passer la nuit, ne semblaient pas le sortir de sa mélancolie. Viktor se laissait mener vers Saint-Pétersbourg sans réagir. En réalité, il semblait dans un état second, ignorant complètement ceux qui chevauchaient avec lui, les magnifiques contrées qu'ils traversaient, les curiosités qu'ils croisaient et les gens qu'ils rencontraient, le temps d'un repas ou d'une nuitée quelque part.

Quel intérêt tout cela pouvait bien avoir s'il ne pouvait partager ces découvertes avec Arkadi et Ekaterina ? Même le passage bruyant d'une automobile, alors qu'ils approchaient de la ville impériale, ne parvint pas à provoquer chez lui le plus petit intérêt. Le Jeune Loup était anéanti, et les Chefs de meute qui l'accompagnaient en étaient passablement troublés. L'enfant faisait peine à voir. Il s'enfermait dans son silence, et ce n'était que lorsqu'ils étaient en route que Viktor se permettait enfin de pleurer. Le visage ainsi dissimulé sous sa capuche, ses bras ceinturant la taille de Tcherenkov, le garçon pouvait se laisser aller librement à sa peine. Personne ne pouvait le voir ni l'entendre, le bruit du galop des chevaux couvrant ses lamentations. Mais il ne trompait pas le Loup avec qui il partageait le cheval. L'homme ressentait l'immensité de sa peine, puisque les sanglots qui secouaient la poitrine de Viktor remontaient le long de sa propre échine. Le Chef de meute était profondément touché par le malheur de l'enfant, mais il savait qu'il ne pouvait rien y changer. Lui revenaient fréquemment en tête les propos de Gregori.

De l'avis général des membres de la confrérie formant le cortège qui se rendait à Saint-Pétersbourg, l'arrivée prochaine dans la ville impériale parviendrait certainement à dérider le garçon, et même à lui faire voir le bon côté de son départ du monastère. En tout cas, c'était ce que ces Loups et frères lais ressentaient pour eux-mêmes. Formés depuis toujours pour protéger le pouvoir, ils n'appréciaient guère de demeurer inactifs dans un prieuré. Les Chefs de meute et leurs hommes anticipaient avec excitation leur arrivée à destination.

— Nous serons dans la capitale demain dans la matinée, annonça un jour une Louve à l'enfant, pensant l'intéresser.

Viktor ne répondit rien. Il monta se coucher à l'étage d'une petite isba* transformée en auberge de passage.

La modeste maisonnette possédait trois chambres, que la trentaine d'hommes devaient se partager. Mais la promiscuité n'était pas un problème pour eux, habitués depuis l'enfance à vivre en communauté. « Et si l'espace manquait, avait lancé le chef de l'expédition à l'hôtelier, l'écurie ferait très bien l'affaire. »

Depuis leur départ, le jeune garçon n'avait presque rien mangé, mais Tcherenkov avait insisté auprès de ses compagnons inquiets pour qu'ils le laissent tranquille. Viktor ne se laisserait pas mourir de faim, et lorsque la nécessité s'en ferait sentir, le Jeune Loup avalerait quelque chose.

— Il finira par se faire à l'idée et, bientôt, la ville deviendra son nouveau terrain de jeu. Il ne voudra plus en partir, croyez-moi, avait assuré le Chef de meute, avant de plonger ses dents dans une cuisse de poulet grillé. Laissons-le en paix, avait-il ajouté après avoir avalé sa bouchée. Il admettra bientôt, et ça, j'en suis certain, que sa nouvelle vie est bien plus excitante que celle du monastère, conclut-il dans un éclat de rire.

Viktor entendait fort bien les échanges bruyants des gens de sa confrérie, qui se trouvaient juste en dessous de lui, dans la salle qui servait aux repas. Le plancher qui le séparait de ses compères se composait de planches de bois mal alignées. Les rires des hommes venaient accroître la peine qui l'habitait.

Les yeux rougis, grands ouverts, il fixait le plafond trop bas de la masure où il passerait la nuit avec ses compagnons avant de se remettre en selle, tôt le lendemain matin. Il était allongé sur un lit de fortune, une paillasse dure et inconfortable qui gardait l'empreinte des corps des nombreux clients qui y avaient dormi avant lui. Une odeur nauséabonde s'en dégageait, mais pour l'heure, l'enfant n'en avait cure. Il gigotait sans arrêt, non seulement à la recherche d'une position confortable, mais aussi du sommeil. Il était bien évidemment fatigué, épuisé par son équipée à travers la campagne et sur des routes cahoteuses qui, lui avait-on affirmé, étaient plus rapides, et aussi par son manque de repos. Il accumulait les nuits blanches depuis son départ. Incapable de s'endormir, Viktor tournait et retournait pour la énième fois dans sa tête la question de son départ.

Il se rappelait avec précision sa dernière discussion avec son père adoptif et les mises en garde à peine voilées du Loup contre le Grand Maître lui-même. Viktor comprenait instinctivement que le prieur était un être mauvais et qu'il allait tenter de se servir de lui. Mais quels étaient ses objectifs ? Ça, il n'en savait encore rien.

La porte de la chambrette grinça légèrement sur ses gonds. Un de ses compagnons de route venait certainement se coucher. Il commençait à se faire tard, bien que les échanges, sous lui, fussent toujours aussi bruyants.

Le garçon ferma les yeux, faisant semblant de dormir, car il ne souhaitait pas qu'on lui pose de questions. Peu importe qui venait d'entrer, il n'avait aucune envie de lui parler. Il souhaita que l'autre s'endorme rapidement. Heureusement pour lui, son attente fut de courte durée et ses espoirs récompensés. Quelques instants suffirent avant qu'il n'entende la respiration profonde de son compagnon de chambre ; ce dernier venait de sombrer dans le sommeil.

Le voyage, leur vitesse de déplacement et le vin avaient prématurément eu raison de ces hommes pourtant dotés d'une force physique exceptionnelle. Mais la fatigue était bien réelle, car ils parcouraient les verstes à une allure incroyable dans le but d'arriver le plus rapidement possible dans la capitale. Il était hors de question pour les Loups de prendre le train, cela ne faisait pas partie de leurs habitudes et compromettrait beaucoup trop leur clandestinité. Les Loups tenaient plus des chevaliers que des agents secrets.

Viktor rouvrit lentement les yeux. Une évidence commençait à se dessiner dans son esprit. Oubliant un moment la hargne qui l'habitait, Viktor s'était mis à analyser la situation autrement, avec plus d'objectivité. Il entrevoyait maintenant des éléments qu'il avait jusqu'ici occultés à cause de sa rogne. Les choses devenaient un peu plus claires que ce qu'il s'était borné à voir depuis que son père adoptif lui avait appris la nouvelle. S'il ne pouvait combattre le prieur, ses décisions et son désir manifeste de se servir de lui, il devrait tenter, à son tour, de manipuler le moine.

Les lèvres du Jeune Loup s'étirèrent pour esquisser un sourire sardonique. Ses yeux fatigués émirent une lueur malicieuse. Il savait désormais ce qu'il avait à faire et il le ferait. Il entrerait dans la ville impériale, vainqueur et sûr de lui, afin de gagner la sympathie du moine, mais jamais, au grand jamais, il ne laisserait cet homme accaparer ses pensées. La partie ne serait pas facile à jouer, car le prieur était très fort, mais Viktor savait qu'il possédait les facultés pour réussir. Il devait se montrer plus fin que le Grand Maître lui-même. L'avenir se chargerait du reste.

Son moral revint. Il avait un plan. Il avait enfin compris que, malgré son malheur, il pouvait tout de même tirer quelque bénéfice des circonstances. Depuis sa prime enfance, Arkadi lui avait toujours répété que son destin était unique et qu'il serait un jour appelé à vivre des événements extraordinaires. Le Jeune Loup commençait à comprendre qu'effectivement il n'aurait jamais la vie d'un enfant de son âge. Il le savait, il le ressentait : son départ du monastère allait le mener vers de nouvelles aventures. Il se demanda même si, très sincèrement, il n'aurait pas préféré vivre une vie comme les autres. Pendant un instant, il s'attarda sur la question pour enfin conclure que non. Sa vie lui plaisait comme elle était, malgré les difficultés qu'il avait vécues. Son existence était loin d'être banale, et il aimait cela.

Il avait fait le point et replacé les éléments dans une logique qui lui était propre et à laquelle il adhérait lorsque, enfin, il sentit tout son être se détendre. Les pleurs et la tristesse avaient fait place à d'autres émotions, moins troublantes et plus positives. Il était plus en accord avec ses sentiments et ses pensées parce qu'il acceptait la situation.

Avant de sombrer dans le sommeil, il eut une pensée pour Arkadi et Ekaterina. Il était convaincu qu'il allait les revoir, même s'il ignorait quand cela se produirait. Son père ne le laisserait pas longtemps seul ; il viendrait certainement à Saint-Pétersbourg lui rendre visite.

Tous les reproches dont il avait accablé le sénéchal et la Louve depuis l'annonce de son départ s'étaient évanouis pour faire place à cet élan naturel de tendresse qu'il ressentait pour eux. Viktor retrouvait son calme.

Il se tourna à nouveau sur sa couche, songeant qu'il avait grand faim, que le sommeil allait être bon et qu'il avait hâte au matin. Sa vie prenait une autre direction. Il était maintenant prêt à suivre cette nouvelle route, car il avait la certitude de savoir où elle le mènerait.

Viktor s'éveilla le premier, presque aux premières lueurs de l'aurore. Lorsque les membres de la confrérie descendirent l'étroit escalier de bois qui craquait à chacun de leurs pas, ils furent enchantés de le voir attablé, en train de dévorer un énorme petit-déjeuner composé de *koulibiak**, de *kalatchi**, de *kasha**, de fromage de brebis, de crème fraîche et de purée de pommes, le tout accompagné de café chaud.

Le Jeune Loup enfournait tout ce qui se trouvait devant lui, sous le regard défait de l'aubergiste, qui le voyait littéralement engloutir ses maigres profits. Le chef de l'expédition, que la scène mettait de bonne humeur, lança d'une voix forte et riante au pauvre homme abattu :

— Ah ! La jeunesse ! À cet âge-là, ce n'est pas un estomac qu'ils ont, mais un trou sans fond… Ne t'en fais pas, hôtelier, nous réglerons la note. Donne à cet enfant tout ce qu'il peut avaler, son appétit fait plaisir à voir, s'amusa Anton avant de décocher une grande claque dans le dos de l'hôte rondelet.

La petite salle commune où les repas étaient servis parvenait difficilement à contenir la trentaine de membres de la confrérie, et le chef de l'expédition distribua à certains leur ration de nourriture avant de les envoyer déjeuner dehors. Tcherenkov régla la note à l'aubergiste en lui donnant un large pourboire, ce qui fit briller de plaisir les yeux clairs du grassouillet bonhomme qui oublia aussitôt tous ses soucis. Il ignorait qui étaient ces gens vêtus de cuir noir qui formaient de toute évidence une compagnie quelconque, et très honnêtement l'aubergiste n'en avait rien à faire, tant qu'ils le couvraient d'or ! Le chef du groupe venait de le payer avec des roubles impériaux* et, qui plus est, en arrondissant généreusement la somme. Ils n'avaient rien cassé et étaient demeurés polis envers lui et sa famille. Que pouvait-il demander de plus, cet hôtelier qui voyait tous les jours des mécréants débarquer dans sa petite auberge ?

Tenir une pension sur une route passante n'était pas simple tous les jours et, bien souvent, le pauvre homme et sa femme perdaient au change. L'aubergiste soupesa encore une fois sa bourse, la mine satisfaite. Il les salua plusieurs fois, allant même jusqu'à les raccompagner à l'écurie où leurs chevaux, reposés et nourris, les attendaient.

Les membres de la Confrérie des Loups reprirent aussitôt leur chevauchée. La matinée s'annonçait merveilleuse, et une certaine fébrilité animait ces hommes qui allaient bientôt entrer dans la capitale impériale de toutes les Russies : Saint-Pétersbourg.

Pour quelques-uns, ce n'était pas la première fois qu'ils se rendaient dans la ville, mais pour les autres, c'était le cas. Et ceux-là étaient excités à l'idée de voir la ville où résidait le tsar, ce souverain qu'ils devaient protéger au péril de leur vie. Ils allaient découvrir le cœur et la tête de la Russie, l'endroit où se prenaient les décisions. Vivre à Kostroma, aussi loin de la capitale, les mettait en marge d'un monde qu'ils avaient hâte de contempler, car ils avaient beau être à des verstes de la grande ville, les échos de ce qui s'y déroulait parvenaient tout de même jusqu'à leurs oreilles. Toutefois, comme disait Arkadi en riant, le temps que les nouvelles arrivent à Ipatiev, il y avait déjà belle lurette qu'elles avaient été remplacées par d'autres. Ce n'était certainement pas pour rien que le Grand Maître lui-même avait choisi de s'installer dans la capitale de façon permanente. Ils avaient beau être membres d'une confrérie où la discipline et la rigueur étaient partie intégrante du quotidien, ils n'en demeuraient pas moins des hommes, et ils n'étaient pas soumis à une vie d'abstinence. Ce n'étaient pas des moines, mais bien des chevaliers au service d'une cause. Ceux qui vivaient le plus difficilement cette vie d'ermite étaient certainement les femmes, les Louves de la confrérie. En plus d'être coupées du monde, elles vivaient comme des hommes, s'habillaient comme eux et partageaient leur quotidien. Leur féminité en prenait un sérieux coup.

Anton Tcherenkov leva la main droite pour intimer à ses hommes l'ordre de s'arrêter. Les premières constructions de la ville impériale se dressaient droit devant eux. Ces modestes maisons, des cahutes qui ceinturaient la ville, constituaient les quartiers occupés par les ouvriers. Ceux-ci travaillaient et vivaient à Saint-Pétersbourg, mais ils ne participaient pas activement à la vie de la cité. C'était tout juste si l'on tenait compte de leur nombre lors des recensements. Ils ne bénéficiaient pas des avantages dont jouissaient les habitants de la capitale, ils n'en avaient pas les moyens !

La petite troupe se tut quelques instants, car, sans en voir véritablement tout le pourtour, elle percevait tout de même l'immensité de la ville. Saint-Pétersbourg comptait quelque deux millions d'habitants, et sa grandeur se devinait dès qu'on l'abordait.

Chapitre 5

Saint-Pétersbourg,
capitale de la Russie.

Le Jeune Loup écarquillait ses yeux bleu ciel, qui n'étaient pas assez grands pour tout saisir. Le garçon était absolument fasciné par toutes ces choses qu'il apercevait pour la première fois. Il y avait tant à regarder, à découvrir, que sa tête passait de gauche à droite sans jamais s'arrêter, au point qu'au bout de quelques instants, il en fut totalement étourdi. Un sourire ravi demeurait accroché à ses lèvres depuis leur entrée dans la capitale, tout comme, d'ailleurs, sur celles de quelques-uns de ses compagnons.

— Messieurs, je vous en prie, prenez un peu sur vous, vous semblez aussi abasourdis que des ingénues*, clama non sans moquerie Anton Tcherenkov.

Ils venaient de traverser le pont Anitchkov après avoir longé les quartiers les plus anciens de la ville. Solidement accroché à Anton, Viktor se penchait d'un côté et de l'autre, autant que faire se peut sans tomber du cheval. Excité, il cherchait à voir les quatre immenses statues qui ornaient le pont. Les sculptures, plantées aux quatre coins, représentaient quatre versions du même cheval fougueux et de son cavalier tentant de le contrôler.

L'étrange convoi qu'ils formaient — une trentaine de personnes vêtues de peau de la tête aux pieds et toutes montées sur de superbes chevaux de course — attirait tout de même quelques regards, mais les gens de la ville étaient, somme toute, habitués à voir déambuler dans leur cité toutes sortes de délégations provenant d'un peu partout dans le monde. Peu de temps auparavant, ils avaient pu voir dans les rues pétersbourgeoises une procession formée d'étranges animaux exotiques, dont à peu près tous ignoraient les noms, et dont on ferait cadeau à la famille impériale. Le roi d'une contrée lointaine, possiblement des Indes ou de l'Afrique, avait envoyé ce présent destiné au zoo privé des Romanov, au palais d'Alexandre, à Tsarskoïe Selo. Saint-Pétersbourg était le cœur de l'empire russe et, à ce titre, elle offrait à ses citoyens, périodiquement, des démonstrations de l'étendue de son pouvoir.

Le chef de l'expédition s'était soudainement transformé en guide touristique depuis leur entrée dans la ville, se lançant dans une multitude d'explications sitôt qu'ils arrivaient près d'un monument qu'il jugeait important de leur faire connaître. Les chevaux traversèrent avec lenteur le pont Anitchkov avant que le Loup n'y aille de nouveaux commentaires.

Cette fois, Anton Tcherenkov expliqua à ses hommes qu'à cause de l'achalandage croissant sur le pont, le tsar l'avait fait consolider quatre ans auparavant et qu'à l'origine il était en bois. Satisfait de lui, le Chef de meute dirigea son groupe vers la Perspective Nevski, une avenue qui traversait presque toute la ville jusqu'au palais impérial.

La rue, entièrement pavée, était immense. Elle offrait des voies doubles dans les deux sens. Viktor n'était pas le seul à avoir la bouche ouverte en découvrant l'artère et les façades qui la bordaient. Mais ce qui fascinait encore plus l'enfant, c'étaient ces quelques voitures qui y circulaient. Le Jeune Loup était sans voix devant ces fameuses automobiles qui roulaient sans chevaux. Dès qu'il entendait au loin le bruit caractéristique d'une de ces machines, il se tortillait dans l'espoir de l'apercevoir. Ce drôle d'engin le captivait. Il espérait secrètement avoir l'occasion d'en voir un de près et peut-être même d'y prendre place. Cette découverte lui rappela sa discussion avec Arkadi sur le sujet, alors qu'il se remettait de ses blessures dues au carcajou*.

Ils dépassèrent le palais Stroganov, la cathédrale Notre-Dame-de-Kazan, l'église Sainte-Catherine, le palais Anitchkov et plusieurs autres édifices tout aussi spectaculaires. Un peu plus loin, l'immense rue se poursuivait en s'ourlant d'immeubles à quatre étages, tous entièrement construits en pierre et présentant de magnifiques détails architecturaux. Les étages de ces bâtiments logeaient des appartements, mais les rez-de-chaussée étaient tous occupés par des boutiques. La hauteur des édifices impressionna grandement les Loups. Les églises mises à part, jamais encore ils n'avaient vu de telles constructions.

La ville était tout à fait grandiose. Tout cela était enivrant pour ceux qui n'avaient connu que les quelques magasins de Kostroma. La capitale s'offrait à eux dans tout ce qu'elle avait de remarquable et de splendide, les éblouissant par son faste, sa richesse et son étendue. Jamais ils n'avaient vu autant de monde circuler. Chefs de meute et frères lais ne disaient pas un mot, remplissant leur esprit de ces images saisissantes. Même ceux qui connaissaient la ville pour l'avoir déjà visitée demeuraient néanmoins fascinés à sa vue.

Le convoi prit à droite dans une petite rue ombragée bordée d'arbres centenaires et de buissons bourgeonnants, et parcourut encore quelques verstes. La rue, plus calme, se perdait entre deux rangées d'arbres qui servaient de remparts naturels à d'immenses demeures cossues. Situés tout près de la résidence impériale, ces petits domaines abritaient les ambassades de France, d'Angleterre, de Belgique, de Norvège, de Perse et d'autres pays commerçant avec l'empire russe, et servaient de lieu de résidence à de riches hommes d'affaires qui profitaient de son expansion et de ses industries. Le quartier était très prisé à cause de son environnement unique et de sa proximité avec le palais. Bien qu'il fût situé au cœur de la capitale, il donnait à quiconque s'y baladait l'impression de se trouver à la campagne. Un calme agreste s'en dégageait, et la nature florissante des lieux offrait une intimité fort appréciable dans une ville si peuplée.

Les jardins de la capitale, à cause de son climat plus doux que celui de Kostroma, étaient déjà garnis de fleurs printanières, et ses arbres, couverts de feuilles d'un vert tendre.

Le petit groupe poursuivit sa route jusqu'à ce qu'il arrive devant les grilles d'un domaine qui tranchait avec le faste alentour. À travers les feuillus, les Loups pouvaient apercevoir le carré d'une immense demeure à l'allure plutôt austère en comparaison avec les résidences du quartier : la commanderie.

D'architecture classique, l'édifice en pierre à deux étages, de couleur jaune découpée de crème, présentait une façade garnie de fenêtres.

En son centre, une volée de marches menait vers une imposante porte à double battant composée presque essentiellement de carreaux et bardée de fer forgé. Sur ses côtés, deux ailes partaient vers l'arrière pour former un atrium, au centre duquel trônait un large bassin d'eau, qui n'était plus en usage depuis longtemps maintenant. Le parvis du manoir se pavait de dessins floraux dans des teintes fanées et offrait une place nette, dépourvue de tout artifice.

Le domaine était vaste et piqué d'arbres et de sapins, mais, dans l'ensemble, la sobriété y régnait. Un manoir et un parc d'une grande beauté, mais sobres et peu entretenus, presque négligés.

C'était là le lieu de résidence des Loups, là que Raspoutine avait établi le quartier général de la confrérie à Saint-Pétersbourg. Nicolas II avait offert le domaine à la communauté en reconnaissance de ses loyaux services et pour confirmer sa volonté de voir les Loups demeurer à ses côtés en tout temps. Son isolement, mais aussi sa proximité par rapport au palais, en faisaient un lieu de choix pour ces hommes dévoués à la sécurité du pouvoir en place.

Viktor se laissa glisser à bas de son cheval, curieux de découvrir les lieux où il allait vivre désormais. Cela ne valait pas, certes, le monastère Ipatiev avec ses édifices, comme la cathédrale de la Trinité et ses cinq dômes en or, ou encore le palais des Romanov, ni même l'immensité de la forêt qui le bordait, mais le domaine avait quelque chose de plus raffiné que le prieuré situé près de Kostroma. L'enfant ressentit une onde de bien-être l'envahir en le regardant, comprenant qu'il s'y sentirait bien.

— Voilà notre quartier général, clama Anton en désignant de la main le manoir. Loups, soyez les bienvenus. Des domestiques vous attendent à l'intérieur. Ils conduiront les Chefs de meute dans leurs appartements privés, et les frères lais dans les logements communs. Quant à toi, ajouta-t-il en tournant la tête vers Viktor, tu as la chance d'avoir ta propre chambre. Très honnêtement, j'ignore pourquoi tu bénéficies d'un tel privilège, mais ce sont les ordres. Vous avez quinze minutes pour vous installer et défaire vos bagages. Je vous attends à la bibliothèque.

Sans rien ajouter, dans un silence presque militaire, les Loups, après avoir tendu les rênes de leurs chevaux aux quelques palefreniers qui se trouvaient là, pénétrèrent dans la demeure, chargés de leurs effets personnels.

Viktor suivit Anton Tcherenkov qui venait de lui faire signe. Contrairement aux autres, qui logeraient au rez-de-chaussée, le Chef de meute et le garçon empruntèrent un large escalier de pierre pour monter à l'étage. Silencieux, Anton désigna une porte double.

— Voici les appartements de notre Grand Maître Raspoutine. Il y séjourne rarement, préférant demeurer au monastère Alexandre-Nevski où il vit depuis son arrivée à Saint-Pétersbourg. Au fond de ce couloir se trouve ton propre logis...

— Et toi, Anton ? demanda Viktor en se dirigeant vers la porte double.

— Moi ? Mais je suis au rez-de-chaussée, avec les autres Loups !

Le garçon leva les yeux vers l'homme qui devait mesurer plus de six pieds. Les sourcils froncés, il cherchait à comprendre pourquoi il ne se trouvait pas dans les mêmes quartiers que ses pairs.

Anton haussa les épaules, saisissant tout à fait les pensées de l'enfant.

— Je ne suis pas dans les confidences de notre Grand Maître, c'est lui qui en a décidé ainsi. De toute évidence, il veut t'avoir à ses côtés. J'ignore pourquoi ! Mais ne crains rien, fit-il avec un sourire empreint de sous-entendus, tu ne cours aucun danger...

Le Jeune Loup fit une moue dont le Chef de meute ne parvint pas à saisir la signification. Mais étant donné que l'enfant n'ajoutait rien, il en conclut qu'il n'y avait rien à comprendre. De la main, il invita la jeune recrue à découvrir son logement.

Viktor poussa la porte de sa nouvelle chambre. De grandeur moyenne, la pièce, d'une sobriété monacale, reflétait bien l'austérité générale des lieux. Un lit de camp contre le mur ; à côté, un coffre pour ses effets personnels. Une chaise de bois faisait face au lit, ainsi qu'un petit bureau. Deux icônes* représentant la Vierge Marie garnissaient les murs blancs. Une seule fenêtre s'ouvrait sur le parc.

Viktor s'y dirigea pour jeter un œil à l'extérieur.

— Voilà, je te laisse défaire tes bagages. Je te retrouve en bas dans dix minutes, lança le Loup en partant.

— Merci, Anton. Je serai là, déclara Viktor sans se retourner, le regard perdu vers l'horizon.

Le soleil était au zénith et le ciel d'un bleu lavande était dépourvu de nuages.

Viktor eut encore une pensée pour Arkadi et Ekaterina. Bien qu'il acceptât maintenant les choix qu'on lui avait imposés, il ne pouvait s'empêcher de regretter ses parents adoptifs. Comment vivaient-ils son départ ? Et Sofia ?

Le Jeune Loup referma la porte derrière lui avant de se précipiter vers les larges marches de pierre pour se rendre à la bibliothèque. Il était en retard. Anton lui avait donné dix minutes, mais le garçon avait traînassé. Pris par ses pensées, il n'avait pas vu le temps filer. Il déboula dans la bibliothèque après avoir demandé son chemin à un domestique à peine plus âgé que lui. Tous les Chefs de meute et les frères lais étaient là. Ceux qui se trouvaient à Saint-Pétersbourg depuis plusieurs mois, et qui repartiraient pour Ipatiev, et la relève avec laquelle Viktor venait d'arriver au manoir, sous la direction d'Anton Tcherenkov. Une soixantaine de Loups et de Louves discutaient bruyamment de divers sujets. Viktor pensa alors naïvement que personne ne s'apercevrait de son retard et entra en catimini dans la pièce avec l'espoir de se fondre au groupe le plus naturellement possible, lorsqu'il entendit :

— Tu es en retard !

La voix venait de tonner, imposant un silence immédiat. La réprimande ne venait pas de Tcherenkov. Ce timbre, il l'aurait reconnu entre mille : d'une tonalité grave, la voix parlait sans précipitation. C'était le genre de voix que l'on n'oubliait jamais une fois qu'on l'avait entendue.

Raspoutine surgit d'entre les Loups, avançant à pas feutrés vers lui, le regard réprobateur.

— Jeune Loup, n'as-tu pas appris la discipline et le respect des règles au monastère ? Ton mentor aurait-il manqué à son devoir ?

— Non, maître ! répondit Viktor en baissant la tête. Veuillez m'excuser, je n'ai pas vu le temps passer.

Le Jeune Loup releva alors ses yeux bleu ciel pour fixer très attentivement le regard froid du prieur, avant d'ajouter sur un autre ton :

— Mon père adoptif et mentor m'a appris le respect avant tout, il m'a également enseigné la discipline, l'obéissance et la dévotion. Il fut un professeur irremplaçable et… jamais je ne permettrai à quiconque d'en douter !

Le Grand Maître et le jeune garçon se jaugèrent ainsi quelques secondes, tandis que les autres échangeaient entre eux de furtifs regards de stupéfaction. L'enfant allait être battu, c'était une évidence pour tous ceux qui se trouvaient là. Son impertinence allait lui coûter très cher. Raspoutine n'était pas le genre d'homme à se laisser parler sur ce ton ; il était si vindicatif.

Le moine caressa sa longue barbe hirsute, l'air songeur, presque amusé.

— Oui, ça, j'en suis convaincu, répondit-il enfin. Arkadi est le meilleur des Loups, et son fils adoptif ne peut que l'égaler.

L'homme déposa sa large main sur l'épaule de l'enfant, au grand étonnement de l'assemblée, en poursuivant :

— Tu es d'ailleurs aussi impertinent que lui ! Je me chargerai personnellement de corriger ce défaut, ironisa-t-il en éclatant de rire.

L'enfant ne savait pas comment réagir ; en provoquant ainsi le Grand Maître, il se serait attendu à une réaction explosive. Tout le monde connaissait le caractère prompt du prieur, mais il ne s'était rien passé. Raspoutine avait même tourné la situation en blague. C'était tout à fait déconcertant.

Tout en laissant sa main sur l'épaule du jeune garçon, Raspoutine l'entraîna à sa suite jusqu'à l'autre bout de la pièce, face à l'entrée.

— Nous n'attendions plus que toi pour débuter notre réunion, poursuivit le magistère en laissant l'enfant pour aller prendre sa place devant l'immense cheminée de marbre et de stuc*, où les caryatides* avaient la grandeur d'un homme.

La réunion débuta. De son côté, Viktor s'interrogeait sur les excès de gentillesse du Grand Maître. D'abord, il lui attribuait la chambre jouxtant la sienne, au lieu des logements communs, et ensuite, il adoptait ce comportement presque sympathique qu'il venait d'afficher devant les membres de la confrérie.

Décidément, cet homme était imprévisible.

Chapitre 6

Monastère Ipatiev, Kostroma

Le regard perdu vers l'immensité de la forêt qui s'étendait, comme une mer, depuis les murs du prieuré jusqu'à l'horizon, la Louve observait le paysage. La vue était tout simplement magnifique et jamais, depuis son enfance, elle ne s'en était lassée. Elle-même faisait partie intégrante de ce panorama sauvage et parfois si dur. Cet univers était le sien. Ekaterina n'avait jamais réellement quitté le monastère, à part la fois où Gregori l'avait emmenée à Saint-Pétersbourg ; elle avait à peu près l'âge de Viktor, dix ou douze ans. Elle se souvenait de ce voyage comme si c'était hier. Mais ce qu'elle se rappelait le plus, ce n'était pas la modernité de la ville, ni même les splendeurs du palais d'Hiver et le faste de la cour, mais bien de ces moments privilégiés et uniques qu'elle avait passés avec son père.

La Louve aurait aimé que Gregori ne fût jamais Grand Maître de la confrérie ; elle avait si souvent prié, lorsqu'elle était enfant, pour que son père abandonne cette charge. Une scène lui revint en mémoire. Elle devait avoir sept ou huit ans lorsqu'elle était allée trouver son père pour lui demander, le plus innocemment qui fût, de venir jouer avec elle. Gregori avait alors posé ses yeux gris sur sa fille en souriant, avant de lui dire, sur un ton plutôt ferme et sans équivoque :

— Mon Ekaterina, ce que tu me demandes là est impossible. Je ne jouerai jamais avec toi. Je suis le Grand Maître. Je suis ton père, certes, mais je suis avant tout Grand Maître de la confrérie. Mon rôle, en tant que chef de cette communauté, passe avant tout. Avant même les désirs de ma propre fille. Tu devras t'y faire, Ekaterina. Et, crois-moi, j'en suis tout aussi navré que toi. Mais c'est ainsi !

La petite était repartie vers les dortoirs, en larmes, sans comprendre les dures paroles de son père. À partir de ce jour, et dans le plus grand des secrets, elle s'était mise à détester les autres enfants de la confrérie, ainsi que ses membres adultes, qui lui volaient non seulement son père, mais également sa vie.

Celui à qui elle en avait voulu le plus était Arkadi, parce que Gregori l'avait choisi pour fils adoptif. Elle avait alors pensé que le Grand Maître aurait préféré avoir un garçon et que, bien évidemment, sa déception avait été grande à sa naissance. Elle devint donc un véritable garçon manqué. Elle apprit à se battre, à monter à cheval et à chasser, devenant meilleure que les autres enfants de son âge. Elle surpassait tout le monde dans bien des domaines, comme au tir à l'arc et à l'escrime, ainsi que sur le plan parapsychique. Tout le monde, sauf Arkadi.

Elle s'était considérablement appliquée à lui mener la vie dure, jusqu'au jour où elle avait découvert qu'elle était, en réalité, amoureuse de lui. Ce jour-là, en furie contre elle-même, elle avait longuement pleuré devait l'ironie de la situation. Pendant longtemps, la jeune femme qu'elle était devenue chercha à taire ses sentiments pour le Jeune Loup qu'était alors Arkadi, redoublant de méchanceté à son égard. En agissant ainsi, elle espérait étouffer les sentiments qu'elle sentait grandir en elle. Elle se souvenait précisément de cette période, et surtout de l'instant où elle avait compris qu'elle n'y pouvait rien.

Gregori, accompagné de plusieurs Loups, avait emmené Arkadi à Moscou pour quelques jours. Le tsar devait séjourner dans la ville quelque temps. Selon les sources du Grand Maître, une tentative d'attentat devait avoir lieu. La chose étant incertaine, il était donc hors de question de dévier le cortège impérial. Le tsar s'y était formellement opposé, jugeant que la provenance de l'information était trop hypothétique.

Gregori avait souhaité la présence du Jeune Loup dans le but de l'initier à ce type d'intervention. L'attentat eut lieu. Plusieurs badauds, agglutinés sur les trottoirs dans l'espoir de voir passer l'empereur, avaient péri. Arkadi, qui se trouvait trop près du cortège, fut également atteint par les éclats d'une des bombes artisanales.

Le Jeune Loup, gravement blessé, avait été hospitalisé pendant une semaine. Ce fut pendant cette période difficile qu'Ekaterina avait découvert qu'elle ne pouvait plus nier l'amour qu'elle éprouvait pour ce jeune homme sur qui elle avait déversé toute sa haine, ce jeune homme qu'elle tenait responsable de ses malheurs depuis son enfance. Elle avait trop longtemps refoulé ses sentiments, caché son désir pour celui qu'elle s'efforçait d'appeler son demi-frère, jusqu'à ce jour pas très lointain où Arkadi l'avait prise dans ses bras et où, pour la première fois, ils s'étaient enfin embrassés.

Ekaterina passa ses doigts sur ses lèvres. Décidément, les choses n'allaient jamais comme on le désirait. Le regard las, les traits marqués de fatigue, elle tourna la tête vers le lit où le Loup était allongé.

Il y avait presque deux semaines maintenant qu'Arkadi était dans un profond coma. Il était étendu là, sur son lit, immobile et si affreusement absent. Ekaterina, secondée d'un médecin et d'une des nourrices, Masha, avait passé le plus clair de son temps à le soigner avec tendresse et dévotion. Elle veillait son corps comme son esprit. À quelques reprises, elle avait tenté de pénétrer les songes de son ami, mais en vain. Le sénéchal, dans son sommeil, demeurait inaccessible, comme si le coma dans lequel il était plongé n'offrait plus de logique à sa raison, mais plutôt des détours laborieux et cauchemardesques.

Lorsque les Loups avaient ramené le Chef de meute au monastère, la Louve avait éclaté en sanglots en voyant l'état dans lequel il se trouvait. Elle avait pleuré de longues minutes en s'apitoyant sur le sort de son amant, puis, subitement, elle s'était arrêtée, réalisant soudain qu'elle devait se maîtriser et tenter de sauver son amoureux et compagnon d'armes. Ses pleurs ne servaient à rien, et elle comprit qu'elle devait tout mettre en œuvre pour le soigner. Elle lui prodigua des soins avec une attention toute particulière, sans jamais chercher à savoir ce qui s'était passé. Elle ne voulait pas connaître, pour le moment, les événements qui avaient mis Arkadi dans cet état, car elle ne voulait pas se perdre en récriminations, mais bien œuvrer pour rétablir le fils de Gregori.

Elle lui parlait avec douceur de tout et de rien. Elle lui racontait toutes sortes de choses, convaincue que même si le sénéchal ne manifestait pas le moindre signe de vie, il l'entendait certainement.

Elle imaginait que sa voix parviendrait à le ramener vers elle, dans le monde des vivants. Qu'elle agissait sur l'esprit du grabataire* comme on déploie un fil d'Ariane*, afin de ramener vers la lumière son âme en péril.

Mais Arkadi se trouvait dans un endroit inaccessible, situé aux confins de son être. Un lieu étrange et troublant. Un monde inconnu des gens éveillés, où le temps et l'espace n'existaient pas. Plusieurs fois, il y rencontra son père adoptif. Le vieux sage revenait sans cesse vers lui et, chaque fois, c'était pour lui tenir le même discours :

— Tu dois te battre, tu dois survivre… Tu n'as pas le droit de mourir, pas maintenant. Ton heure n'est pas venue… Retourne à ta vie.

La Louve était penchée sur son visage, détaillant les plaies sur lesquelles elle appliquait de savants onguents dont elle seule connaissait la composition, lorsqu'elle vit les paupières du sénéchal frémir. Elle recula de quelques centimètres pour mieux observer ce qui se passait. Rêvait-il ?

Elle vit alors que son compagnon, avec une lenteur et une faiblesse extrêmes, bataillait pour soulever ses lourdes paupières encore enflées. À cause de son nez cassé, ses deux yeux étaient cernés de noir violacé. Il avait de nombreuses ecchymoses sur le visage, les mains, le dos et les jambes. L'index et le majeur de sa main droite étaient cassés, ainsi que plusieurs côtes. Un chirurgien était venu recoudre son oreille gauche qui avait presque été arrachée et avait également fait de nombreux points de suture un peu partout sur son visage ainsi que sur sa cuisse gauche qui, elle, présentait une entaille longue de plus de quinze centimètres.

Bref, la belle tête racée d'Arkadi ressemblait maintenant à un potiron écrasé. Il faisait franchement peine à voir. Le chirurgien avait tenté de rassurer Ekaterina et Sevastian en leur disant que l'aspect des blessures était plus impressionnant que leur sévérité. D'ici quelques semaines, plus rien n'y paraîtrait, si ce n'était quelques cicatrices à l'arcade sourcilière et à la cuisse. La Louve l'avait remercié en le raccompagnant vers la sortie, mais, en réalité, elle n'avait rien à faire de sa sollicitude. Elle ne souhaitait qu'une seule chose : que l'homme qu'elle aimait se réveille et sorte enfin de ce coma qui le tenait éloigné d'elle, qu'il s'échappe de cette zone d'ombre qui lui était interdite, et dans laquelle le Loup errait depuis trop longtemps maintenant.

Une très légère fente laissant apparaître l'éclat de vie de ses yeux foncés se dessina sur son visage, et la Louve sut alors que son amant se réveillait. Elle refoula les quelques larmes qu'elle sentait poindre, puis sentit monter en elle une vive émotion de bonheur et de soulagement.

Arkadi revenait enfin d'entre les morts. Elle aurait aimé l'embrasser, mais ses lèvres fendues et encore meurtries ne supporteraient pas ce contact, même s'il était d'une infinie douceur. Les yeux baignés de larmes, elle se contenta de passer lentement sa main dans les cheveux foncés et ondulés du sénéchal, en souriant.

On allait finalement savoir ce qui s'était passé. L'homme qui avait été capturé dans les bois, le chef de la bande, s'était donné la mort dans sa cellule, emportant avec lui les détails de cette agression sauvage. Le lendemain de l'assaut, Sevastian, qui venait pour l'interroger, l'avait retrouvé inanimé, gisant sur le sol, l'écume à la bouche et les yeux privés de vie.

De toute évidence, le bandit avait eu recours à un poison foudroyant. Sevastian était demeuré un bon moment dans la cellule du bandit à l'observer, le regard inquiet, s'interrogeant sur les raisons ayant poussé cet homme à se donner la mort. Il en était venu à la conclusion que l'attaque contre Arkadi n'était pas accidentelle, mais avait plutôt été commanditée. Le Chef de meute n'était pas simplement tombé par malchance sur une bande de coupe-jarrets qui cherchaient à le détrousser, mais bien dans une embuscade. Ces hommes en voulaient à sa vie, non à sa bourse. Ces tueurs avaient été chargés d'éliminer le sénéchal. L'impression qu'il avait eue en les voyant se révélait exacte; il s'agissait bien là de mercenaires. Du coup, une autre question s'imposa naturellement : qui avait demandé à ces hommes de tuer Arkadi, et pourquoi ?

Monastère Ipatiev, mai 1910,
quelques semaines après l'agression du sénéchal dans la forêt de Kostroma

— ... non, c'est inutile. Je ne me souviens pas de ce qui s'est passé... c'est le trou noir. Je ne me rappelle même plus ce qui m'a poussé à me rendre dans la forêt... La seule image que j'ai en mémoire est celle de ce cerf que j'ai mis en joue... mais avant et après cela, c'est le néant.

— Tant que tu ne retrouveras pas la mémoire, nous n'avancerons pas d'un iota* à propos de cette agression, soupira Vsevolov, le conseiller de Raspoutine, qui avait pris la place d'Iakov après la mort de celui-ci. Mais inutile de te torturer avec ça, chaque chose en son temps. Quoi qu'il en soit, je dois envoyer un rapport à Raspoutine sur les événements. J'attendais ton réveil pour voir si tu pouvais témoigner de ce qui t'était arrivé, mais je ne peux attendre plus longtemps. L'agression a eu lieu il y a trois semaines de cela maintenant, le Grand Maître doit en être informé.

Vsevolov, un frère lai* de la troisième génération, agissait toujours avec prudence et ne semblait jamais vouloir précipiter les choses. C'était une grande qualité lorsqu'on était, comme lui, conseiller. L'intempérance de Raspoutine était très souvent adoucie par l'attitude de son second. L'homme devait également épauler Arkadi dans ses fonctions de sénéchal. Mais en général, il se faisait plutôt discret et n'intervenait que lorsqu'il le jugeait absolument nécessaire, ce qui faisait l'affaire du prieur et du Chef de meute. Certaines mauvaises langues marmonnaient même que le conseiller profitait de sa fonction pour ne rien faire; qu'Arkadi et Raspoutine n'avaient pas réellement besoin des services d'un conseiller et que les trop rares manifestations de ce dernier prouvaient son manque évident d'intérêt pour cette tâche.

— Je vais de ce pas écrire mon rapport, poursuivit-il, car je n'ai que trop tardé. Repose-toi et reprends rapidement des forces, Arkadi, nous ne pouvons nous passer de toi plus longtemps.

Sevastian, qui se tenait à l'écart, se retint d'afficher un sourire narquois. Évidemment, c'était Vsevolov qui gérait le monastère depuis l'accident du sénéchal, et cette fonction semblait peser lourd sur les frêles épaules du conseiller.

D'un léger signe de tête, l'homme salua le blessé avant de quitter la chambre, saluant le Chef de meute au passage, alors qu'Ekaterina faisait son entrée dans les appartements du sénéchal.

La Louve interrogea du regard Sevastian, qui lui fit comprendre d'un mouvement de la tête que la situation n'avait pas évolué. Que le sénéchal souffrait toujours d'amnésie.

— Bonjour, dit-elle avec bonne humeur en s'approchant du lit pour s'y asseoir. Comment vas-tu?

— De mieux en mieux…

— Je dois changer tes bandages. Nous allons voir comment tes blessures se cicatrisent.

La Louve souleva doucement quelques pansements, badigeonna les plaies de ses onguents miraculeux et remit des gazes stériles. Aidée de Sevastian, qui demeurait silencieux depuis son arrivée, elle réajusta les oreillers du malade et lui fit boire une décoction qui le fit grimacer.

— Arrête de faire la grimace, on dirait un enfant.

— Mais c'est infect…

— Pfff, un enfant… C'est bien ce que je disais, le gronda-t-elle en souriant.

Bien qu'elle sût qu'Arkadi ne se rappelait rien de son agression, elle lui demanda tout de même, comme pour confirmer le signe de Sevastian à son arrivée:

— Tu n'as vraiment aucun souvenir de ce qui s'est passé ?

Arkadi lui répondit par la négative.

— Ça ne fait rien, s'empressa de répondre la fille de Gregori, ça ne fait rien. Ton amnésie est une conséquence normale des coups que tu as reçus. Ne presse pas les choses, ta mémoire te reviendra bientôt.

Sevastian se pinça les lèvres. Il était encore trop tôt pour leur dire ce qu'il pensait avoir trouvé, pour partager avec eux les conclusions qu'il avait tirées de cette étrange affaire. Tant et aussi longtemps que le sénéchal ne recouvrerait pas la mémoire, ses suppositions demeureraient des présomptions qui ne le menaient nulle part. Le Loup ne voyait pas l'intérêt, pour le moment, de les informer que quelqu'un avait probablement commandité la mort du Chef de meute.

CHAPITRE 7

Saint-Pétersbourg, juin 1910,
monastère Alexandre-Nevski,
appartements privés du prieur Raspoutine-Novyï

Raspoutine terminait la lecture du dossier qu'il venait de recevoir d'Ipatiev, envoyé par le conseiller Vsevolov. Il referma avec lenteur la couverture de cuir avant d'y poser à plat sa longue main, comme pour en retenir les informations. Son regard était inquiet et ses pensées, en ébullition. L'attentat avait échoué. Arkadi était toujours vivant. Le moine savait enfin ce qui s'était passé après son départ dans la forêt de Kostroma. Ses hommes de main, tous morts depuis, avaient manqué leur coup, et ce constat déroutant avait quelque chose de terrible et de dramatique. Jamais le Grand Maître se s'était imaginé un seul instant que le sénéchal parviendrait à s'en sortir. Il avait si bien planifié les choses depuis le début ! Mais, de toute évidence, il avait omis un détail.

L'échafaudage de son plan remontait à l'instant où il avait envoyé à Arkadi le pli l'informant que Viktor devait le rejoindre à Saint-Pétersbourg. Il avait planifié dans les moindres détails la suite des opérations qu'il pensait alors parfaitement contrôler. Dès l'instant où Arkadi avait débuté la lecture de la missive, son plan s'était mis en marche. Le prieur avait commencé à infiltrer sournoisement les pensées du Loup dans les heures qui avaient suivi le départ de l'enfant, pour lui instiller l'envie de se rendre dans la forêt, jusqu'à l'endroit où les hommes de main du moine l'attendaient, embusqués. Il lui avait insufflé l'idée que ce lieu de quiétude était l'endroit idéal, le seul en réalité, où il pourrait méditer en paix et faire le point.

Et la suite de son entreprise s'était passée exactement comme il l'avait imaginée. Arkadi était tombé dans le piège aussi facilement qu'un jeune novice. Éploré par le départ de l'enfant, brisé de fatigue par une nuit sans sommeil, le Chef de meute avait dangereusement baissé sa garde jusqu'à ce que le moine pût exercer sur lui un certain pouvoir, une incontestable influence qui le mènerait à sa perte. Toute cette machination, toute cette énergie avaient pour unique but de provoquer chez le Loup la manifestation du pouvoir de l'esprit des Anciens. Si Arkadi avait été porteur de cette force parapsychique, elle se serait aussitôt manifestée pour déployer chez le sénéchal une puissance incroyable, même si le porteur ignorait qu'il possédait cette capacité. L'esprit des Anciens était une entité autonome, ce n'était pas son porteur qui décidait de ses actes.

Mais il ne s'était rien passé. Aucune matérialisation quelconque n'avait eu lieu, le Loup n'avait même pas eu l'occasion de se défendre. De toute évidence, il ne possédait pas ce pouvoir exceptionnel.

Raspoutine savait, bien évidemment, que cette embuscade signait l'arrêt de mort du Chef de meute. Le Loup, quand il vit le moine penché sur lui, découvrit par le fait même que l'attentat était signé de sa main. Malgré son état, il l'avait reconnu, c'était évident ; il était donc hors de question de le laisser en vie.

De toute façon, songeait le moine, même si ça n'avait pas été le cas, même si Arkadi avait ignoré sa présence dans les bois, il serait mort quand même. L'occasion était trop belle de se débarrasser de cet impétueux adversaire qui avait l'estime de tous. Sans compter que Raspoutine savait que le Loup soupçonnait qu'il était impliqué dans les meurtres de Gregori et d'Iakov. Le sénéchal n'avait aucune preuve et n'en aurait jamais, mais à quoi bon courir le risque ? Et puis, à l'instar de l'ancien conseiller Iakov, il aurait éventuellement découvert les projets du prieur. En se débarrassant du Chef de meute, Raspoutine s'offrait la possibilité de se rapprocher de Viktor. À la mort de son père adoptif, le jeune se tournerait vers celui qui se trouverait alors à ses côtés : lui. De plus, s'il éliminait Arkadi, toute la communauté se plierait à sa volonté sans regimber. Le Grand Maître savait pertinemment qu'il ne recueillait pas beaucoup d'estime auprès des autres membres de la confrérie, mais la mort du sénéchal pouvait changer les choses. Bref, la disparition d'Arkadi lui laissait les coudées franches ; aucune barrière ne se dresserait plus sur le chemin qui le conduirait vers le pouvoir absolu. Il n'allait pas laisser passer cette occasion.

Cependant, les Piliers* de l'Arcane pouvaient toujours s'opposer à lui et constituer une ultime entrave, mais pour le moment, les gardiens de l'*arcana arcanorum** ne semblaient guère se soucier de sa présence. Le Grand Maître avait, jusqu'à maintenant, l'impression qu'on le laissait faire. Il faut dire qu'il mettait un point d'honneur à assurer la protection du tsar, car il savait que c'était ce que l'on attendait de lui. Ne pas s'acquitter de cette fonction correctement le mettrait en danger. Les Piliers de l'Arcane n'hésiteraient pas à l'éliminer et, là, c'en serait bien sûr fini de ses rêves.

Mais Arkadi était toujours en vie, et cela venait changer la donne*. Le prieur devait trouver une solution, et rapidement. Le rapport de Vsevolov indiquait que le sénéchal venait de se réveiller d'un très long coma. Heureusement, ce dernier ignorait ce qui lui était arrivé. Mais combien de temps encore durerait cette amnésie providentielle ?

Le dossier relatant l'agression du Chef de meute venait tout juste de lui être transmis, mais sa rédaction remontait déjà à une semaine. Que s'était-il passé depuis ? Le prieur ignorait si les Piliers de l'Arcane avaient été informés de l'attentat perpétré contre Arkadi, tout comme il s'interrogeait sur ce qui se déroulait depuis, au monastère. Avant de décider quoi que ce fût pour la suite des événements, avant même de réfléchir à ce qu'il allait faire, Raspoutine devait découvrir où en était Arkadi et ce qu'il savait exactement. Le Chef de meute était à demi conscient lorsque le prieur s'était penché sur lui pour l'examiner de plus près. L'avait-il reconnu ? Était-il alors assez lucide pour comprendre que celui qui se trouvait là était le Grand Maître lui-même ? Raspoutine n'entretenait guère d'illusions à ce sujet.

Le moine passa plusieurs fois la main sur ses yeux et son front avant de la faire glisser le long de sa barbe mal entretenue. Son index vint s'appuyer sur ses lèvres, tandis que son coude prenait appui sur le secrétaire qui lui servait de bureau. Il réfléchissait et entrevoyait avec clarté tous les problèmes qui pouvaient découler de cette situation. Si Arkadi découvrait que Raspoutine étant présent lors de l'attentat, c'en était fini pour le moine. Il ne lui resterait plus qu'à disparaître de la surface de la Terre. Les Piliers de l'Arcane étaient une puissance mondiale, elles menaient d'une main de fer les grands de ce monde. Il leur serait facile de régler le cas d'un petit moine comme lui qui cherchait à les doubler…

— Ahhh !… Je suis un idiot ! J'aurais dû demeurer sur place et faire le travail moi-même… Pauvre crétin dégénéré que je suis ! Cette négligence pourrait m'être fatale…, maugréa-t-il en baissant le ton. Comment se fait-il que je n'ai pas eu la présence d'esprit d'anticiper cette éventualité ? Tu es trop sûr de toi, Raspoutine. Cela pourrait te perdre !

Mais il cessa aussitôt de s'accuser. Ses reproches étaient inutiles. Le mal était fait, il ne servait à rien de se perdre en récriminations. Il devait plutôt agir. Et pour cela, il fallait d'abord et avant tout qu'il découvrît si le sénéchal avait recouvré la mémoire. Si c'était le cas, avait-il ou non pointé le Grand Maître comme celui qui avait commandité son meurtre ? Il devait s'en enquérir.

Raspoutine sortit une petite clé retenue à son cou par un cordon de cuir. L'objet, qui semblait assez lourd, était de facture très originale et paraissait avoir été conçu pour un usage particulier. Il fit glisser la clé dans la serrure de son secrétaire, mais au lieu de la faire tourner vers la droite, il fit trois tours vers la gauche. Un léger déclic se fit entendre. Ce n'était pas le tiroir dans lequel la clé venait d'être enfoncée qui s'était déverrouillé, mais un petit panneau secret sur le côté gauche du bureau de bois. Lorsque le panneau était en place, il était impossible de découvrir qu'il cachait un compartiment secret. Un tiroir tout en longueur s'y trouvait enchâssé, et le moine s'en empara nerveusement. Le long boîtier contenait quelques objets précieux comme des bijoux, de l'or, quelques lettres nouées entre elles par un ruban de soie rouge, des papiers et d'autres effets. Mais la première chose que saisit le moine fut la photographie d'une jeune femme blonde au regard triste. Elle portait un fichu fleuri sur la tête et regardait l'objectif avec une intensité troublante. Raspoutine la contempla un instant, et quelque chose de tendre vint animer ses yeux couleur hiver.

— Praskovia*…, murmura-t-il avec tendresse.

Sans quitter des yeux l'image sépia*, il déposa la photographie avec précaution avant de poursuivre sa fouille. Il attrapa alors un petit sac de velours noir resserré d'un cordon.

— Voilà…

Il se dirigea ensuite vers le fond de la pièce où se trouvait un petit salon. Il poussa un des fauteuils dans un coin pour dégager une surface libre. Raspoutine se pencha pour saisir le bord de l'épais tapis de laine qui couvrait le plancher, puis l'enroula sur lui-même, dégageant ainsi un dessin à peu près de la dimension du tapis, tracé sur les lattes du plancher de bois.

Il s'agissait d'un pentacle* — un cercle contenant une étoile à cinq branches. Ce pentagramme* symbolisait le masculin et le féminin*.

Le moine ouvrit son petit sac de velours pour en extraire une mèche de cheveux foncés retenus par une cordelette. Cette mèche, il l'avait prise sur la tête d'Arkadi dans la forêt de Kostroma, alors que ce dernier gisait inanimé. Il la fit glisser entre ses doigts, l'air songeur, puis la déposa au centre du pentagramme. Il extirpa ensuite d'une de ses poches un pendule en or suspendu à une longue chaîne. Relevant sa bure noire jusqu'à la moitié de ses cuisses, le moine s'assit en tailleur. Il tendit son bras droit, tenant à la main le pendule juste au-dessus de la mèche. Puis il ferma les yeux et se concentra.

Le temps sembla se figer ; la respiration du prieur se fit plus profonde, et lentement le pendule se mit à tourner sur lui-même, d'abord paresseusement, puis de plus en plus rapidement.

Raspoutine entra en transe, ouvrant son esprit à un monde infini, se libérant de toutes entraves terrestres, pour ne faire qu'un avec l'univers et l'espace-temps. Il quitta son corps pour enfiler les couloirs du temps à une vitesse affolante et, en un éclair, les pensées du moine se retrouvèrent au monastère Ipatiev, à des verstes et des verstes de ses appartements, à une époque passée, mais peu lointaine. Il assistait à une scène qui s'était déjà déroulée.

Le Grand Maître se trouvait dans la chambre du Chef de meute et sénéchal, Arkadi. Exactement là où il voulait aller. À quelques pas de lui se tenait Sevastian, qui observait attentivement son ami allongé, tandis que Vsevolov, son secrétaire, s'apprêtait à sortir de la chambre. Au même instant, Ekaterina fit son entrée dans la pièce. Raspoutine observa l'échange des regards entre la Louve et Sevastian, alors que la fille de Gregori s'approchait du lit.

— Bonjour, dit-elle avec bonne humeur. Comment vas-tu ?

— De mieux en mieux…

— Je dois changer tes bandages. Nous allons voir comment tes blessures se cicatrisent.

Le moine vit la Louve soulever avec délicatesse les pansements du sénéchal, badigeonner les plaies d'une pommade verdâtre, avant de remettre des gazes stériles. Aidée de Sevastian, elle rajusta les oreillers du Loup, puis porta à ses lèvres blessées une décoction qui le fit grimacer.

— Arrête de faire la grimace, on dirait un enfant.

— Mais c'est infect…

— Pfff, un enfant... C'est bien ce que je disais, le gronda-t-elle en souriant.

Raspoutine observait la scène avec grand intérêt. Il s'approcha d'Arkadi pour l'examiner d'un peu plus près, tout en songeant que ses hommes l'avaient tout de même bien amoché. Cependant, sans le concours des autres Loups, il serait mort, et cette scène n'aurait jamais eu lieu. Il pesta encore une fois contre sa propre négligence.

— Tu n'as pas le moindre souvenir de ce qui s'est passé ? entendit-il de la bouche de la Louve.

La question tombait à point. C'était justement ce que le moine cherchait à savoir. Il se félicita de la chance qu'il avait, avant d'accorder une attention très particulière à la réponse que le Loup allait donner.

À son grand soulagement, Arkadi répondit d'un signe de tête négatif. Mais cela, en réalité, ne clarifiait qu'à moitié les interrogations du moine, puisque la scène qu'il voyait était celle qu'avait déjà relatée son conseiller dans son rapport. Il s'en rendit compte parce que la question d'Ekaterina était formulée comme si elle la posait pour la première fois. Il était remonté trop loin dans le passé.

— Ça ne fait rien, s'empressa de répondre la fille de Gregori, ça ne fait rien. Ton amnésie est une conséquence normale des coups que tu as reçus. Ne presse pas les choses, ta mémoire te reviendra bientôt.

Raspoutine émit un sourire malin. Il se pencha sur le sénéchal, humant l'odeur qui se dégageait de lui, comme pour s'imprégner de son énergie. Il aurait aimé enrouler ses longs doigts autour de la gorge du sénéchal et en finir à cet instant, mais il devait encore une fois se montrer patient.

Il passa lentement sa main de spectre sur le cou du Loup, avant que son esprit ne s'évapore dans les couloirs du temps. Il devait trouver une autre fenêtre, postérieure à celle qu'il venait de franchir. Il se sentit projeté dans le parc.

Cette fois, il vit distinctement le sénéchal assis sur une chaise longue, seul. La journée était ensoleillée, et la luminosité se déclinait dans des teintes douces et pastel, comme seul ce coin de Russie pouvait en être éclairé. Raspoutine en conclut que ce devait être le début de l'après-midi. Il se promena autour du Chef de meute pour l'examiner. Il ignorait à quel moment il se trouvait précisément, mais à voir les béquilles alignées au sol près de la chaise, il se douta qu'il se trouvait dans une séquence de temps postérieure à l'attentat et à celle qu'il venait de visiter. Le sénéchal semblait dormir. Le prieur vit le conseiller Vsevolov s'approcher d'un pas lent. Raspoutine n'avait pas beaucoup d'estime pour cet homme qu'il jugeait paresseux et dépourvu d'ambition. Il n'aimait pas les gens qui, tout au long de leur vie, ne tenaient que des rôles de figuration.

À son approche, Arkadi ouvrit les yeux. Il avait senti l'arrivée du secrétaire avant même que celui-ci ne prenne la décision de se joindre à lui.

— Vsevolov, que me vaut cette visite, vous qui ne quittez jamais le scriptorium* ?

— Je viens aux nouvelles.

— Vous voulez savoir si je me rappelle quelque chose, c'est ça ? Parce que je ne crois pas que mon état de santé vous intéresse particulièrement !

L'homme, un peu déconcerté par l'accueil du Loup, se contenta d'opiner de la tête.

— Eh bien, non ! Je suis désolé de vous décevoir. Je ne me souviens de rien, c'est toujours le trou noir..., enchaîna-t-il d'un ton las, cherchant à peine à cacher sa frustration.

— C'est dommage...

— Dommage, dites-vous ? Ce n'est peut-être pas le terme que j'aurais employé, Vsevolov. Disons plutôt que c'est navrant, irritant, frustrant... Croyez-vous que cela m'amuse ? Pensez-vous que je me complaise dans cet état ?

La voix du sénéchal était dure et remplie de hargne.

— Je suis désolé ! Je ne voulais pas sous-entendre quoi que ce soit..., bredouilla le conseiller, mal à l'aise. Évidemment, pour vous, ce doit être l'enfer. Subir une agression qui vous a presque mené au cimetière n'a rien de réjouissant, et en plus, vous ne vous rappelez rien. J'imagine...

— Oui, c'est ça, imaginez ! le coupa sèchement Arkadi, car je ne vous souhaite pas de connaître le même sort.

Le conseiller ne savait plus quoi dire ni quoi faire. Il lui semblait que rien de ce qu'il ajouterait ne viendrait apaiser le Chef de meute. Arkadi broyait du noir depuis son réveil. Comprenant qu'il ne pouvait rien y changer, l'homme décida de le laisser à ses réflexions.

— Encore une fois, je suis sincèrement désolé si je vous ai le moindrement offensé. Je ne cherche pas à vous nuire, mais uniquement à faire mon travail. Je dois envoyer un nouveau rapport à notre Grand Maître qui tient à être informé de votre état de santé.

Arkadi, incrédule, porta ses yeux foncés vers Vsevolov. Raspoutine comprit, au regard du Loup, que la réflexion du secrétaire venait de générer un doute dans son esprit. Il maudit ce stupide conseiller qui cherchait à plaire au sénéchal en se faisant mielleux.

— Depuis quand Raspoutine s'intéresse-t-il à la santé des autres ?

— Voyons, Arkadi, c'est le désespoir qui vous fait parler ainsi ! Notre Grand Maître veille sur ses Loups et sur sa communauté comme si nous étions ses propres enfants !

— Vous croyez ?

L'homme laissa échapper un profond soupir devant les rebuffades du sénéchal. Depuis son réveil de ce long coma, le Loup affichait une mauvaise humeur constante et le conseiller ne se sentait pas à l'aise devant lui. Le sénéchal était reconnu pour sa gentillesse et son humeur égale, et le voir ainsi aigri en déstabilisait quelques-uns.

— Je vais vous laisser, je dois aller écrire mon rapport.

— C'est ça, allez faire votre rapport, et saluez le Grand Maître pour moi, voulez-vous !

Vsevolov s'éloigna plus rapidement qu'il n'était venu. Certes, l'agression qu'avait subie le sénéchal avait été barbare, et son amnésie devait lui être insupportable, mais le conseiller ne s'expliquait pas pourquoi le Loup était de si mauvaise humeur. Il avait perdu la mémoire, assurément, mais n'était-ce pas mieux ainsi ? pensait le secrétaire en entrant dans l'abbaye. Qu'avait-il à vouloir à tout prix se rappeler cet affreux épisode? Ce n'était peut-être pas pour rien si son cerveau l'avait effacé; les souvenirs de l'événement devaient être trop horribles.

Raspoutine observait toujours attentivement Arkadi, comme s'il cherchait à percer les réflexions du sénéchal. Mais n'étant présent que sous la forme d'un spectre, il ne pouvait pénétrer les pensées du Loup; il n'avait pas l'énergie nécessaire. Ce fut alors qu'il sentit qu'il devait réintégrer son espace-temps. De toute façon, il avait entendu ce qu'il voulait entendre; il ne lui servait à rien de demeurer là.

Le pendule tendu au-dessus de la mèche de cheveux d'Arkadi tournait toujours au même rythme, puis se figea net sur son axe, comme si une main invisible venait de l'arrêter.

Raspoutine ouvrit les yeux. Un sourire errait sur ses lèvres. Il mit quelques instants pour retrouver ses esprits, et une lueur machiavélique traversa son regard bleu hiver, toujours si énigmatique. Maintenant qu'il savait où en étaient les souvenirs du Chef de meute, il pouvait assurer ses arrières; il avait encore le temps d'agir.

Sans perdre une seconde, il retourna vers son secrétaire pour y prendre une feuille de papier sur laquelle il inscrivit quelques mots. Il cacheta soigneusement l'enveloppe dans laquelle il venait de glisser son pli. Satisfait, il tira le cordon qui pendait à côté de son lit. Quelques secondes passèrent, puis trois petits coups secs retentirent de l'autre côté de l'épaisse porte de chêne.

Le moine l'ouvrit. Un jeune garçon d'une dizaine d'années se trouvait derrière.

— Fais quérir immédiatement Yakiv.

L'enfant s'élança aussitôt dans l'escalier, tandis que le moine refermait lentement la porte. Il ne se passa pas dix minutes avant qu'un frôlement en provenance de la porte ne se fasse entendre. Raspoutine ouvrit à un adolescent d'une quinzaine d'années à qui il tendit l'enveloppe qu'il venait de sceller.

— Porte toi-même cette lettre à Anna Vyroubova* immédiatement, et qu'elle lui soit remise en mains propres. Je t'en tiens personnellement responsable. Sois discret, personne ne doit te voir sortir d'ici ni te rendre chez elle. Va !

Le jeune messager accueillit l'ordre d'un hochement de tête ; il avait l'habitude de ce genre de commission et, malgré son jeune âge, sa grande discrétion avait fait sa réputation. Il disparut aussitôt sans demander d'autres explications. On le payait chèrement pour son efficacité, non pour sa curiosité.

CHAPITRE 8

Parc du palais de Tsarskoïe Selo

Un jeune garçon âgé d'à peine six ans pédalait sur une bicyclette, aidé de deux jeunes filles. Les trois enfants riaient et semblaient beaucoup s'amuser. Le garçon était très beau, avec ses cheveux blonds comme les blés et ses yeux bleus. Il portait un costume de marin avec le petit béret, et semblait très concentré sur chaque coup de pédale qu'il donnait.

Les deux jeunes filles qui l'aidaient, tenant chacune de son côté le siège du vélo, l'encourageaient avec bonne humeur. Les demoiselles, des sœurs, visiblement, étaient habillées de la même façon. Elles portaient des robes d'été cousues dans un lin de grande qualité, d'un blanc pur, et des bottillons de cuir brun boutonnés sur les côtés, fabriqués de toute évidence par le même cordonnier, remontaient jusqu'à leurs mollets. Elles avaient toutes les deux les cheveux défaits ;

seules deux mèches partant sur les tempes se rejoignaient à l'arrière de leur tête, retenues par un ruban de satin rose. La première semblait un peu plus vieille et un peu plus grande que la seconde. Elles se ressemblaient beaucoup et, d'ailleurs, on les surnommait « les jumelles ». Le garçon sur la bicyclette avait aussi un air de famille avec les jeunes filles.

Viktor, qui se tenait en retrait, les observait avec intérêt, surtout la plus jeune, qui paraissait avoir son âge. Il ne pouvait détacher son regard de cette jeune fille visiblement de haute naissance, mais qui semblait de nature si enjouée.

— Viens, Viktor, je vais te présenter nos hôtes, lança Raspoutine au Jeune Loup, d'une voix mielleuse.

Depuis son arrivée à Saint-Pétersbourg, presque un mois plus tôt, le garçon passait son temps à accompagner le Grand Maître partout. Il assistait aux rencontres avec les autres Loups, et chaque jour lui offrait l'opportunité de découvrir de nouvelles choses et des lieux tous plus beaux les uns que les autres.

En un mois, il avait également eu la chance de voir les membres de sa confrérie à l'œuvre. Il fut le témoin privilégié du savoir-faire et de la discipline des Loups. Impressionné, il demeurait admiratif devant la qualité de leur travail et le professionnalisme de leurs actions. Viktor avait accompagné les Loups lors d'une mission de démantèlement d'un réseau terroriste, composé de bolcheviks* qui s'apprêtaient à perpétrer un attentat à la bombe au palais d'Hiver. L'intervention avait été aussi rapide qu'efficace. Rien n'avait été laissé au hasard, tout avait été parfaitement synchronisé, et les Loups avaient agi en un temps record. Ils étaient repartis aussi vite qu'ils étaient apparus, avant même que la police ne fût mise au courant.

Le Jeune Loup éprouvait une très grande fierté de faire partie de cet ordre, et il avait très hâte, lui aussi, de se joindre à cette section spécialisée. Il aimait l'idée que les Loups agissaient dans l'ombre sans que personne ne sache réellement ce qu'ils faisaient et pourquoi ils le faisaient. Cela ajoutait au mystère qui entourait la confrérie.

Devant les prouesses de ses confrères, toutefois, Viktor avait pris conscience qu'il ne s'était guère entraîné depuis son arrivée, mais le moine lui avait répondu, alors qu'il s'en inquiétait, que son entraînement viendrait plus tard. Avant tout, le garçon devait connaître les lieux où il allait vivre et les gens avec qui il serait en relation. Raspoutine lui avait fait découvrir tant de choses depuis son arrivée dans la capitale que le Jeune Loup en était venu à apprécier le moine austère.

Viktor avait également appris de sa bouche l'agression dont avait été victime son père adoptif.

Cette nouvelle l'avait grandement ébranlé, au point qu'il avait supplié le Grand Maître de lui donner la permission de rentrer à Ipatiev. Permission que Raspoutine lui avait refusée, bien évidemment. Il avait alors expliqué au Jeune Loup que son mentor allait bien et qu'il se remettait de ses blessures, que son voyage jusqu'au monastère ne servirait à rien. Il avait invité plutôt l'enfant à écrire à Arkadi. Viktor en fut profondément bouleversé.

Raspoutine entreprit donc de lui changer rapidement les idées. Pour ce faire, il lui proposa une visite des plus intéressantes qui saurait, pensait-il, lui faire oublier le sénéchal quelque temps. Pour la première fois depuis son arrivée dans la capitale impériale, Viktor allait rencontrer le tsar Nicolas II. Depuis son enfance, on lui en parlait; depuis qu'il était en âge de comprendre, on le préparait à cette rencontre et aux liens futurs qu'il entretiendrait avec l'empereur de toutes les Russies. Viktor savait pertinemment, tout comme les autres Jeunes Loups, que, le moment venu, il aurait à défendre cet homme au péril de sa propre vie.

— Viktor, je te présente le *tsarevitch* Alexis Nicolaïevitch de Russie, fils de notre empereur Nicolas II.

Le Jeune Loup s'empressa de faire une légère flexion avant du torse pour saluer le gamin qui se tenait toujours sur sa bicyclette et le regardait avec bien peu d'intérêt.

— Et voici la grande duchesse Maria Nicolaïevna de Russie et sa sœur, la grande duchesse Anastasia Nicolaïevna de Russie.

Les deux jeunes filles, âgées respectivement de onze et neuf ans, effectuèrent, avec un synchronisme presque parfait, une charmante révérence à l'intention du jeune garçon, tout en gloussant d'un rire joyeux.

Viktor présenta à son tour ses salutations sans quitter des yeux la plus jeune des filles.

Anastasia était, lui semblait-il, la plus belle chose qu'il voyait de sa vie. Elle était tout en grâce et en beauté, avec ses cheveux châtains, ses yeux noisette, ses lèvres parfaitement dessinées et son regard de biche. Quelque chose de particulier se dégageait d'elle. Elle semblait si vivante, si marquée de joie de vivre. Elle était si belle.

— Veux-tu te joindre à nous ? Nous allons nous baigner, dit-elle de sa voix cristalline.

— Je suis désolé, duchesse, mais Viktor ne peut se joindre à vous ; il n'est pas ici pour cela. Nous avons à faire. Mais nous vous remercions de cette cordiale invitation, n'est-ce pas, Viktor ?

Le Jeune Loup, muet, opina de la tête. Il était incapable de détacher son regard de la jeune fille.

— La prochaine fois, alors. Raspoutine, nous comptons sur vous pour nous ramener votre jeune ami, ajouta Maria en souriant. Nous serions enchantées de l'avoir comme compagnon de jeu.

Raspoutine fit un mouvement avant du torse, mais ne répondit rien.

— Alors, vous me poussez ou quoi ? Vous n'allez pas passer la matinée en bavardages ! lança avec humeur le jeune Alexis qui s'ennuyait ferme devant les papotages de ses sœurs.

— Comment allez-vous, ce matin, Votre Altesse ? demanda le moine au garçon.

— Je me porte à merveille. Je n'ai pas eu de crise depuis des semaines, et vous devriez en informer ma mère qui, je crois, a bien plus besoin de vos compétences. Elle cherche constamment à me protéger. Voyez, je ne peux même pas me promener à bicyclette dans le parc sans avoir mes sœurs à mes côtés…

— C'est qu'elle tient à vous et qu'elle ne veut pas qu'il vous arrive quoi que ce soit, Votre Altesse.

— Pfff ! Balivernes ! Vous parlez exactement comme elle ! se moqua le *tsarevitch*. Ce n'est donc pas auprès de vous que je vais trouver des appuis.

Le garçon donna un coup de pédale, signifiant ainsi que la conversation était terminée et qu'il souhaitait retourner à ses jeux. Viktor regarda les enfants s'éloigner, son regard s'attardant toujours sur la jeune Anastasia qui lui jeta un dernier coup d'œil rieur avant de suivre son frère et sa sœur.

Monastère Saint-Panteleimon,
mont Athos, Grèce

Les lourdes portes de bois de la salle privée, réservée à quelques personnes privilégiées, s'ouvrirent pour laisser entrer un homme. Le visiteur remercia avec effusion le moine, qui ne répondit rien et s'éloignait déjà.

Pourtant, l'hôte n'était pas un moine, ni un haut placé dans la hiérarchie ecclésiastique, et il était loin d'avoir la formation nécessaire pour accéder aux informations contenues dans cette bibliothèque insolite, puisqu'il n'était ni un historien, ni un penseur, ni un sage, ni même un archéologue. Malgré cela, il avait reçu l'autorisation d'y pénétrer, ce qui constituait un immense privilège. Son savoir n'était pas la raison de sa présence entre ces murs, il n'y venait pas pour étudier un des deux mille manuscrits qui se trouvaient là, ni les parchemins vétustes, et encore moins les livres rares. Non. D'ailleurs, l'homme, en entrant dans la bibliothèque, eut la nette impression de ne pas être à sa place. Ce n'était pas le genre de lieux qu'il fréquentait habituellement, bien que, depuis quelques années maintenant, sa culture personnelle fût grandissante et qu'il passât de longues heures à lire et à s'intéresser à mille et un domaines. Il avait appris tellement de choses depuis qu'il était devenu ce qu'il était. Tout ce chemin parcouru avait fait de lui un homme complètement différent.

Notre visiteur n'avait rien à voir avec ce qu'il avait été dans une vie antérieure, avant sa rencontre avec le prince Felix Youssoupoff*, comte Soumakoroff-Elston. Sa vie n'était plus la même, et cela, franchement, lui plaisait. Pour rien au monde il ne retournerait à sa vie passée. Travailler pour le prince le comblait, et il aimait sincèrement cet homme qui avait fait de lui un être nouveau. Il lui avait offert l'opportunité de changer de vie. Il lui en serait à jamais reconnaissant.

Le prince Youssoupoff l'utilisait comme homme à tout faire et homme de confiance, comme intermédiaire sur différents plans. Et Andreïev faisait de son mieux, et même plus encore, pour satisfaire ses attentes. Sa présence dans ce monastère grec, si loin de la Russie, était une preuve supplémentaire que le prince se fiait entièrement à lui et qu'il savait que son homme trouverait ce que l'aristocrate cherchait. Il n'était pas là pour recueillir les connaissances préservées entre ces murs, mais pour mener une enquête.

Le prince Youssoupoff avait le bras long, c'était une évidence. Bien entendu, Andreïev n'avait jamais eu le moindre doute là-dessus, mais là, il devait avouer que l'influence du prince était bien réelle. Elle ne reposait pas uniquement sur les moyens financiers de l'aristocrate, mais bien sur les liens particuliers qu'il avait tissés avec les dirigeants de ce lieu de prière. L'argent et le pouvoir n'avaient pas leur place ici. Le prince était un homme de cœur, de tête et d'esprit, et ces qualités lui avaient ouvert les portes de cette bibliothèque que la richesse ne pouvait pas même entrebâiller.

Ce monastère abritait des trésors que bien des hommes de pouvoir auraient souhaité posséder, mais il bénéficiait également d'une protection invisible et très puissante.

Pour accéder à ses secrets, il fallait démontrer une âme pure et dénuée d'intérêt, un besoin de rechercher la vérité… en théorie! Car les gardiens de ces écrits savaient pertinemment que ces textes oubliés et les légendes qu'ils véhiculaient attisaient parfois une profonde convoitise. Aux moines de ce monastère orthodoxe, on avait souvent adressé des demandes qui avaient pris des tendances menaçantes. Des luttes, parfois meurtrières, accompagnaient l'histoire de ce lieu.

La pièce, d'une grandeur surprenante, se trouvait sous terre, à une vingtaine de mètres de la surface, à l'abri de la lumière et des curieux. Bien peu de gens connaissaient son existence, parce que les documents qu'elle renfermait étaient rares et contenaient des informations auxquelles le commun des mortels ne pouvait avoir accès. Des secrets qui pouvaient influencer l'histoire du monde, sa politique, son économie et, surtout, sa perception de l'au-delà et de l'infini.

Des lampes électriques à incandescence, placées tous les deux mètres, éclairaient la vaste salle. Les textes, rouleaux, livres et autres documents étaient classés par date et par pays ; le support était également indiqué. Andreïev se demanda bien pourquoi les moines avaient jugé bon de préciser sur quel matériau les documents étaient rédigés. Il supposa que cela devait indiquer le degré de fragilité des documents. La salle, qui devait faire deux cents mètres carrés, était ornée d'arcs brisés et de niches de taille variable spécialement aménagées. En son centre, une immense table de réfectoire était mise à la disposition des visiteurs. On y trouvait du papier, de l'encre et une lampe de lecture. Les documents ne devaient en aucun cas quitter la voûte qui les protégeait. Personne ne pouvant les emporter hors de ces lieux, les informations recherchées devaient donc être retranscrites sur papier et à la main.

Andreïev descendit quelques marches de pierre pour se diriger vers les premières niches qui se trouvaient sur sa droite. Il se pencha pour lire les inscriptions identifiant chaque pigeonnier :

1750 av. Jésus-Christ, Thèbes, Égypte, papyrus.

1372-1354 av. Jésus-Christ, pharaon Aménophis IV, Égypte, papyrus.

XIIIe siècle av. Jésus-Christ, Cnossos, Crète, tablettes d'argile.

2550 av. Jésus-Christ, Ebla, Mésopotamie, Syrie, tablettes d'argile.

483 av. Jésus-Christ, Traité et compilation de Confucius, Chine, cylindre de lattes de bambou.*

L'homme de main n'en revenait pas. Il s'était douté que les textes confinés dans ces lieux n'étaient pas des écrits ordinaires, mais ce qu'il voyait là était tout simplement époustouflant. Il aurait aimé avoir le temps de se plonger dans un de ces manuscrits, même sans rien y comprendre, seulement pour le plaisir de les contempler et de les toucher. Une autre qualité que le prince lui avait transmise : la passion des choses anciennes, des livres, des objets et de ce qui fut dans le passé. Mais il n'avait pas le temps de s'attarder ; il fit une grimace de dépit avant d'entreprendre ses recherches.

Du bout de son index, il effleura les vignettes, à l'affût. Dans les faits, il ignorait totalement ce qu'il cherchait, mais il espérait qu'un mot ou un indice viendrait l'aiguiller. Du moins le souhaitait-il, car il savait pertinemment qu'il lui serait impossible de passer en revue tout ce qui se trouvait dans cette bibliothèque. Son attention se porta soudain sur une vignette indiquant : *IXe siècle, Novgorod, Russie, manuscrit sur écorce de bouleau.*

Andreïev prit avec précaution le rouleau qu'il déposa sur la table. Il devait le manipuler avec délicatesse, car le matériau n'était pas reconnu pour sa grande résistance ni pour sa souplesse, surtout après tant de siècles.

— « Chroniques de Humbert de Saint-Jean-de-Braye », lut-il à voix basse.

Andreïev survola le texte à la recherche de quelque chose qui capterait son attention, lisant au hasard certains passages : « Oleg, frère de Rurick, règne sur la Russie en attendant que Igor Ier, fils de Rurik dont il est le tuteur, soit apte à le faire. » Puis il lut encore : « Oleg transfère l'État de Novgorod à Kiev qu'il vient de conquérir. Fort de ses conquêtes, il mène ses troupes jusqu'à Constantinople qu'il assiège pendant près de trois ans. Il rançonne et pille Léon le Philosophe, parvient à accaparer une partie de son trésor mais repart. La ville est imprenable. »

Andreïev releva les yeux du manuscrit en écorce de bouleau, songeur.

— Une partie de son trésor… Tiens, voilà qui est intéressant et qui suggère quelques pistes…

Sans poursuivre plus avant sa lecture, l'homme de main du prince Youssoupoff retourna vers les pigeonniers à la recherche d'autres textes, cette fois dirigé par quelques mots clés. Il avait une piste et, dans son esprit, une idée commençait à se dessiner.

1859, Chroniques de Léon Karavelov
sur la domination mongole, Russie, parchemin.

« … tant et aussi longtemps que les Mongols dominaient la Russie, rien de bon ne pouvait en sortir, et ce ne sera que lorsque la Russie se libérera de ce joug qu'elle pourra entreprendre son expansion et sa domination. »

« … ce n'est qu'en 1480 que la Russie redevient une puissance respectée des autres et c'est au XVIIIe siècle que le tsar Piotr Alexeïevitch Romanov, tourne alors son regard envieux vers les pays d'Orient et ses terres fertiles. La magnifique ville de Constantinople, pleine de promesses et de légendes, continue de fasciner les hommes. »

1699, Chroniques de François de Beauregard
sur les Croisades aux portes de Constantinople,
Compiègne, France, parchemin.

« Les Francs, tout comme les Turcs, convoitent Constantinople et son fabuleux trésor, et c'est sous les ordres de Baudoin, comte de Flandre, que les Croisés devancent les Slaves, mais lorsque le chef des Croisés entre dans la ville avec ses hommes, l'objet tant convoité ne s'y trouve plus. »

1613, Textes de Nestor,
chroniqueur de Michael Feodorivitch Romanov,
*sur le siège de Constantinople, vélin**.

« ... inspiré par Dieu, le tsar tente de prendre le pouvoir. »

« Tzaragrad, la Cité des César que l'on appelle Constantinople, tombera entre les mains des Russes, ainsi que son fabuleux trésor, c'est écrit. La volonté de Dieu sera accomplie. »

Sur la table, les doigts d'Andreïev rythmaient la lecture, dans un mouvement tout en cadence.

— Voyez-vous ça !... Trésor, trésor... Là encore, il en est fait mention, et dans des textes écrits à des époques différentes... Mais quelque chose me paraît étrange dans cette chronologie. Parfois, le chroniqueur laisse entendre que le trésor a été ravi et, plus loin, nous retrouvons encore des passages sur le désir de s'en emparer, mais le lieu est toujours le même : Constantinople... Voici un autre texte ici, beaucoup plus ancien celui-là, et où il est également question d'un trésor particulier.

Il porta son regard sur la vignette.

IVe siècle av. Jésus-Christ, auteur anonyme sur les conquêtes orientales d'Alexandre le Grand, Grèce ; tablette d'argile.

— « … Alexandre le Grand, vainqueur et maître, entre dans la ville sous les acclamations de son peuple et de ses hommes. Ses chevaux et ses chariots sont chargés d'or, d'objets précieux, d'esclaves, d'épices, de soieries amassés lors ses nombreuses conquêtes. Une rumeur le précède au sujet d'un des objets contenus dans ce fabuleux trésor qu'il transporte, une pièce particulièrement convoitée. La légende raconte que cet instrument façonné par Dieu lui-même donne à son détenteur un pouvoir surnaturel unique. »

L'homme de main trempa sa plume dans l'encrier. Il relut les différents passages qu'il venait de parcourir avant de les coucher sur papier.

— Ces écrits provenant d'époques bien différentes s'entrecroisent sur un même sujet : un trésor exceptionnel. Et ce fabuleux trésor semble avoir fait l'objet de bien des tentatives de vol au cours de tous ces siècles, depuis Alexandre le Grand jusqu'aux Romanov… De quoi peut-il s'agir exactement ? Est-ce que Raspoutine a également découvert ces chroniques ? D'après ces textes, le dernier détenteur du trésor fut Mikhaïl

Fiodorovitch Romanov, ce qui nous ramène directement en Russie, et plus exactement au trône. Trône autour duquel notre homme tourne... Hum, hum ! Intéressant ! murmura-t-il pour lui-même.

Andreïev fit silence, le regard perdu dans le vide. Il réfléchissait, et dans ses pensées se croisaient et se décroisaient les hypothèses qui se présentaient à son esprit.

Il se dirigea vers les alcôves qu'il n'avait pas encore fouillées, poursuivant avec enthousiasme ses recherches qui commençaient à former dans son esprit une théorie des plus intéressantes. Ses doigts caressaient les étiquettes qu'il passait rapidement en revue. Son index s'arrêta subitement sur l'une d'elles, qui pourtant ne semblait pas avoir de lien avec les autres. Andreïev ne pouvait s'expliquer pourquoi, mais son instinct lui dictait de lire ce manuscrit, et son instinct l'avait rarement trompé.

155 av. Jésus-Christ, Daniel 2, l'Alliance des seigneurs, Ancien Testament, parchemin.

— « Il est écrit que l'Empire renaîtra et que ses héritiers deviendront les maîtres du monde. Ces seigneurs formeront une alliance sous le règne d'un seul chef religieux charismatique. » Un chef religieux charismatique ? Tiens tiens, voilà qui est intéressant ! Quelque chose me dit que notre moine a lu ce passage, lui aussi…

Et les heures passèrent ainsi. Andreïev accumulait des notes qui venaient étoffer le dossier qu'il porterait avec satisfaction au prince Youssoupoff. La journée était bien avancée, et Andreïev, totalement absorbé par ses recherches, en oublia jusqu'au boire et au manger.

Ce ne fut que la soudaine apparition du moine qui l'avait conduit le matin même à la bibliothèque qui le sortit de ses réflexions. Le religieux vint le prier d'arrêter ses recherches, parce que le chanoine du monastère désirait s'entretenir avec lui.

L'homme de confiance du prince Youssoupoff quitta la salle avec quelques réticences ; il sentait qu'il avait découvert quelque chose d'intéressant, et même s'il n'avait entre les mains rien de réellement concret, il avait l'impression, au fond de lui, de détenir les éléments de base du mystère qu'étaient Raspoutine et ses motivations. Bien qu'il ignorât encore comment relier tous ces éléments ensemble, il trouverait ce qui unissait ces écrits. Toutefois, cela devrait encore attendre ; le chanoine désirait le voir et, par respect pour le prince qui avait de bons rapports avec les officiants de ce lieu de culte, il devait se montrer courtois. D'ailleurs, songea-t-il, le responsable de l'abbaye aurait peut-être quelques informations à lui transmettre sur le prieur d'Ipatiev.

Andreïev ramassa ses notes personnelles avant de remettre les manuscrits à leur place. Il suivit le frère à travers le dédale des couloirs qui le ramenèrent vers le monde moderne, l'obligeant ainsi à quitter des siècles de révélations sur les espoirs et les rêves de certains grands personnages qui avaient, à leur façon, marqué le monde.

Durant le trajet jusqu'à sa cellule, où il avait demandé à déposer ses notes, il demeura profondément silencieux, perdu dans ses réflexions et dans les hypothèses qu'elles offraient. Le religieux, demeuré respectueusement à l'entrée de la chambrette sommairement meublée, lui fit comprendre d'un signe de la main qu'il l'attendait pour le mener auprès du père supérieur du monastère.

Le bras droit du prince glissa ses notes sous son matelas. Il reprendrait ses investigations plus tard.

Chapitre 9

Saint-Pétersbourg, palais d'Hiver

Les salles étaient somptueuses. Jamais encore Viktor n'avait vu autant de richesses de sa vie, et même si la cathédrale de la Trinité et le palais des Romanov offraient, eux aussi, de vraies splendeurs, rien ne pouvait égaler le palais d'Hiver qu'il découvrait, salle après salle.

Le nez en l'air, le regard ébahi et la bouche ouverte, il suivait le Grand Maître du mieux qu'il le pouvait. Raspoutine avait le pas rapide de ceux qui n'ont pas de temps à perdre et faisait d'immenses enjambées qu'un garçon de son âge avait peine à suivre.

C'était la première fois que Viktor entrait dans le palais d'Hiver. Jusque-là, il s'était contenté d'en admirer toute la splendeur de l'extérieur. Raspoutine le faisait attendre dehors, parfois des heures durant, et cela, peu importe la température. Ce n'était encore que le mois de juin, mais déjà une chaleur lourde et étouffante s'était s'installée entre les murs de la cité. Bientôt, le tsar, sa famille et la cour partiraient vivre à Peterhof*, sur les rives fraîches de la Baltique. Les préparatifs étaient en cours pour le déménagement saisonnier et, un peu partout dans le palais, les domestiques s'affairaient pour cette migration annuelle.

Raspoutine s'arrêta net devant une double porte magnifiquement ouvragée et ornée d'appliques en or. Il se tourna vivement vers le garçon qui continuait de détailler les alentours.

— Viktor !

— Oui, maître ? répondit celui-ci en portant son regard couleur ciel vers le moine.

— Derrière cette porte se trouve le salon privé de la tsarine Alexandra, que nous allons rencontrer. Le tsar doit venir nous rejoindre. La famille royale s'apprête à partir et nous aussi, mais avant, je souhaite que tu les rencontres. Tu as déjà eu l'honneur de faire la connaissance de Nicolas II et de trois de ses enfants lorsque nous sommes allés à Tsarskoïe Selo, mais tu dois maintenant rencontrer notre impératrice, qui va certainement t'apprécier. Je pense que c'est une bonne chose pour toi de faire partie du cercle des Romanov, ainsi que des proches du *tsarevitch* et des duchesses.

— Pourquoi ? demanda innocemment le Jeune Loup.

— Parce que je te le dis ! Tu dois entretenir des liens avec ceux que tu seras appelé à côtoyer. Tu seras un jour Loup et, à ce titre, tu devras protéger le souverain d'aujourd'hui et celui de demain, c'est-à-dire Alexis. Retiens ceci : nous ne connaissons pas l'avenir, Viktor ; il faut toujours prévoir, parce que nous ignorons tous ce que le futur nous réserve.

Viktor allait répondre, mais il ravala ses paroles. Il ne souhaitait pas provoquer la colère du moine en rétorquant que, puisqu'il se prétendait devin, il devait connaître les événements qui allaient marquer le destin des rois comme des humbles. Le garçon savait par expérience qu'il valait mieux ne pas contredire le Grand Maître. Après tout, le prieur s'exprimait peut-être en paraboles, et cette mise en garde lui était peut-être uniquement réservée.

Comme par magie, les deux portes devant lesquelles ils se trouvaient s'ouvrirent devant eux. Viktor, intrigué, se demanda comment des portes pouvaient s'écarter ainsi sans que le Grand Maître n'eût préalablement frappé. En franchissant l'ouverture, le Jeune Loup jeta un coup d'œil rapide derrière un des battants et aperçut un jeune valet vêtu aux couleurs de la dynastie* Romanov. Comment avaient-ils su que le prieur et lui se trouvaient de l'autre côté ? Mystère !

Viktor chassa bien vite cette question insignifiante. Il s'arrêta, muet, en découvrant la magnificence de la pièce. Ils venaient de faire leur entrée dans le salon privé de la tsarine, là où elle avait l'habitude de prendre le thé avec son mari et quelques proches.

La pièce était lumineuse, grâce aux sept portes-fenêtres en saillie qui la cernaient. Trois d'entre elles agrémentaient le mur du fond, s'ouvrant sur les jardins fleuris du palais, et deux autres étaient alignées de chaque côté de la pièce. Par les unes, on apercevait des fontaines, et par les autres, l'immensité du parc. Les fenêtres se drapaient de rideaux vieux rose, couleur que l'on retrouvait également sur les coussins et les tissus des fauteuils et des chaises. Un large tapis rose et vert garni de fleurs finement tissées s'offrait aux pieds. Les murs étaient tendus de soie aux motifs floraux représentant de délicates roses en bouton. L'ensemble du décor conférait à la pièce une ambiance estivale et fraîche, mais tout de même intime et feutrée. Et pour terminer, des plantes et des arbres en pots de fine porcelaine chinoise agrémentaient le reste de la décoration.

Viktor leva les yeux vers le lustre de cristal, époustouflé par tant de beauté. Une voix douce et délicate, légèrement teintée d'un accent prussien, le ramena sur terre, faisant ainsi prendre conscience à Viktor que des gens se trouvaient dans la pièce.

— Raspoutine, mon ami, vous voilà enfin. Vous vous faites trop rare, votre présence et votre esprit nous manquent. Vous êtes impardonnable de nous laisser si longtemps sans nous honorer de votre visite ! s'écria la tsarine Alexandra à l'arrivée du moine.

Raspoutine se dirigea d'un pas décidé jusqu'à l'impératrice, puis effectua un léger mouvement avant du buste, tout en baisant la main tendue de l'impératrice.

— Que Votre Altesse me pardonne, mais mes charges sont contraignantes et exigent de moi énormément d'énergie et de temps.

— Nous devrons voir à vous libérer, cher ami, si nous souhaitons vous avoir à nos côtés. Votre présence à la cour est aussi nécessaire, sinon plus, que ne l'exigent les responsabilités d'un monastère !

Le Grand Maître répondit à la femme de Nicolas II par un sourire presque paternel, comme le ferait un père envers sa fille tant aimée qui exprimerait un nouveau caprice. La tsarine, en tenue d'après-midi, plissa ses jolies lèvres avant de changer de sujet.

— Nous partons demain pour Tsarskoïe Selo, êtes-vous au courant ?

— Bien entendu, chère amie, qu'il l'est. Raspoutine sait tout ce qui se passe dans l'empire ! lança Nicolas II en faisant son entrée dans le salon par une autre porte, jumelle, située en face de celle que venaient de franchir le prieur et l'enfant. Content de vous voir parmi nous, mon ami. Ma chère Alix a tout à fait raison quand elle vous reproche vos trop rares visites. Mais j'en comprends parfaitement les motifs. Nous savons tous les deux que l'on ne gère pas un monastère comme un moulin ! Tiens, mais qui voilà à votre suite ? Viktor ! Que faites-vous à vous cacher ainsi derrière la robe de notre ami ?

Raspoutine pressa le garçon de passer devant lui pour qu'il salue le couple royal.

— Majesté, dit-il en s'adressant respectueusement à la tsarine qui ne connaissait pas encore le Jeune Loup, laissez-moi vous présenter mon élève, Viktor Baranov. Je me charge personnellement de son éducation, car je vois en lui de grandes qualités. Mais ne vous fiez pas aux apparences ; Viktor est tout, sauf timide !

Le garçon salua une nouvelle fois, avec dignité et respect, le couple royal.

— Oui, bien sûr, notre chère Anastasia nous a parlé de lui, répondit Alexandra avec un charmant sourire.

Viktor tressaillit légèrement en entendant le prénom de la fille du tsar, mais s'empressa de reporter son attention sur la tsarine. Il nota, malgré son accueil empreint de douceur, une grande mélancolie dans les yeux de la souveraine. Détail qui échappait encore à bien des gens, car l'impératrice ne s'épanchait jamais de ses malheurs, si ce n'est en présence de son entourage immédiat, mais le Jeune Loup comprit son état d'esprit.

Viktor découvrait au fil du temps qu'il avait le don particulier de ressentir les émotions des autres. Sans jamais savoir exactement de quoi ces sentiments étaient faits, il devinait l'état dans lequel les gens se trouvaient, et plus particulièrement s'ils cherchaient à le cacher. Était-ce une faculté courante ? Les autres étaient-ils comme lui ? Il n'en savait rien. Il se promit de le demander à son père adoptif dans une prochaine lettre.

— J'ai effectivement eu, madame, l'immense privilège de rencontrer vos enfants dans le parc du palais de Tsarskoïe Selo.

La tsarine échangea un regard avec le moine, et ce dernier se montra satisfait de son élève.

Viktor apprenait très rapidement. Depuis son arrivée dans la capitale, Raspoutine s'affairait à lui enseigner tout ce dont il était lui-même dépourvu : la politesse, la galanterie, les usages de la cour, le maintien, l'art de la conversation, et bien d'autres choses encore. Il formait son élève dans le but d'en faire un être d'exception, même si personne ne connaissait réellement les objectifs qu'il poursuivait.

Les Loups avec lesquels Viktor partageait ses repas quand le Grand Maître était absent s'interrogeaient entre eux sur les buts cachés de prieur. De toute évidence, Raspoutine avait des ambitions particulières pour le garçon, mais personne ne savait lesquelles.

Anton Tcherenkov, qui recevait régulièrement des lettres d'Arkadi s'informant de l'apprentissage de son fils adoptif, ne savait trop quoi répondre à son frère d'armes, puisque Viktor n'était que très rarement avec les autres. Depuis leur arrivée à Saint-Pétersbourg, les Loups n'avaient eu que de rares contacts avec le Jeune Loup qui poursuivait une formation différente et un entraînement à part. Le prieur l'emmenait partout avec lui, et lorsqu'ils se trouvaient tous deux au manoir, ils demeuraient en retrait, allant même jusqu'à prendre leurs repas dans les appartements privés du Grand Maître. Viktor assistait aux réunions des Loups, toujours assis à la droite du prieur, ce qui ne cessait de surprendre les membres de la confrérie.

Tcherenkov se questionnait sur les agissements du moine, mais se gardait bien de lui faire part de ses interrogations. Puisqu'il ignorait les détails de la vie du Jeune Loup, Anton demeurait donc flou dans ses réponses à Arkadi, en espérant que sa prochaine lettre ne recèlerait plus de questions pressantes. Le Loup comprenait bien que son frère d'armes était préoccupé par les raisons ayant poussé le Grand Maître à emmener le jeune élève avec lui. Cette pratique n'avait rien d'ordinaire, surtout que le Jeune Loup avait déjà un éducateur. Ce n'était pas comme si son père adoptif était mort.

L'attitude générale de Raspoutine n'avait rien d'habituel, et les Loups ne parvenaient pas à s'y faire. Le moine ne suivait pas les directives courantes de la confrérie, et tout ce qu'il faisait allait généralement à l'encontre des traditions. Le Chef de meute se doutait aussi que le sénéchal en convalescence aurait aimé avoir Viktor à ses côtés ou, à tout le moins, recevoir de ses nouvelles, mais le garçon ne lui en expédiait que trop rarement, de l'avis même de Tcherenkov. Mais Viktor n'était jamais à la commanderie. Raspoutine qui l'emmenait toujours trouvait le moyen d'occuper le Jeune Loup du matin au soir lors de ses trop rares présences entre les murs du quartier général. Et Anton entrevoyait bien là les tentatives du Grand Maître de faire oublier le sénéchal à l'enfant.

— Mais dites-moi, mon ami, vous avez là un élève de grande qualité, répondit l'impératrice en se dirigeant vers le garçon qu'elle prit par les épaules. Cher Viktor, vous me plaisez déjà. Je crois que nous allons bien nous entendre. Laissez-moi vous présenter nos hôtes, qui sont ici pour le thé. Voici la princesse Zinaïda Youssoupoff*, une amie et précieuse conseillère de notre famille. La grande-duchesse Militza* de Monténégro et son mari, le grand duc Peter Nicolaevitch de Russie.

Tout en parlant, la tsarine désignait ces gens de la main. Viktor les salua respectueusement l'un après l'autre, tandis que l'impératrice se tournait vers un quatrième invité qu'elle présenta comme étant le grand duc Dimitri Pavlovitch Romanov*.

Viktor détailla un court instant ce dernier, qui se tenait un peu en retrait. Une étrange impression venait de le parcourir lorsque leurs regards s'étaient croisés. L'homme, dans la jeune vingtaine, affichait une étrange beauté. Il y avait quelque chose de très féminin dans ses traits et son attitude. Le Jeune Loup, après un instant, se demanda ce qu'il pouvait bien faire là. Après tout, ces gens n'étaient pas du tout de son âge, il devait certainement s'ennuyer, pensa-t-il. Mais ce qui l'attachait plus longuement au regard du prince, c'était cette impression d'une communion qui se serait immédiatement installée entre les deux. Sans savoir pourquoi, Viktor eut alors la sensation inexplicable que son destin aurait quelque chose à voir avec cet individu. Que leurs chemins allaient se croiser, et qu'ils allaient se revoir.

Les échanges qui avaient lieu autour de lui retenaient difficilement son attention. Viktor s'ennuyait, assis là, le dos droit, une tasse de thé à la main. Non pas qu'il ne cadrât pas dans le décor ; grâce aux précieux conseils de son maître et de ses précepteurs, il se sentait tout à fait à l'aise, et rien dans ses manières ne trahissait ses origines modestes. Mais il préférait être entouré de ses frères et sœurs, et des autres Loups de la confrérie. Cette ambiance particulière qu'il n'avait connue qu'à Ipatiev, sa vie, son milieu et ses liens affectifs avec Arkadi, Ekaterina et Sofia lui manquaient terriblement, et il ne se passait pas un jour sans qu'il n'y pense. Il y avait plus de deux mois qu'il était dans la capitale impériale, deux mois remplis de découvertes, de rencontres extraordinaires et d'apprentissage intensif, mais deux mois, également, à pleurer en silence l'absence de ceux qu'il aimait. Il ne s'en ouvrait à personne, et surtout pas à Raspoutine, car les mises en garde de son père adoptif au sujet du moine étaient encore très fraîches dans sa mémoire.

Le Jeune Loup apprenait avec enthousiasme tout ce que lui enseignait le prieur, mais il demeurait toujours sur ses gardes lorsqu'il se trouvait en sa présence. Bien que le Grand Maître se montrât particulièrement gentil envers lui, Viktor ne s'y trompait pas. Son comportement et son obéissance duperaient le moine. Du moins le croyait-il, parce que celui-ci était plus fin que cela. Il voyait bien plus chez le jeune homme qu'il n'en laissait paraître. Raspoutine, par ses manigances, parvenait tout de même à infiltrer les perceptions et les pensées du garçon. Sans que celui-ci ne s'en rende compte, le prieur se frayait un chemin dans son esprit, principalement la nuit, et manipulait le jeune homme à son insu. Insidieusement, il prenait contrôle des sentiments et de l'âme du Jeune Loup.

Comment un enfant de cet âge aurait-il pu percevoir et contrecarrer les objectifs occultes d'un mystificateur aussi chevronné que Raspoutine, alors qu'un homme comme le tsar de toutes les Russies, Nicolas II, loin d'être bête et ignorant, ne s'en apercevait même pas ?

Le Jeune Loup vit justement les deux hommes s'éloigner du groupe vers l'une des trois portes-fenêtres ouvertes qui donnaient sur le parc en fleurs. Ils s'arrêtèrent sur l'immense terrasse de pierre pour poursuivre leur conversation, demeurant suffisamment éloignés pour que personne n'entende ce qu'ils avaient à se dire, mais pas trop, non plus, pour ne pas avoir l'air d'échanger des secrets. Ils firent comme si, tout bonnement, leur discussion amicale les avait menés vers l'extérieur du salon, sur cette splendide véranda qui en était le prolongement.

Viktor remarqua alors que le grand duc Dimitri Pavlovitch Romanov, lui aussi, les suivait discrètement des yeux, tandis que les femmes et le grand duc Peter Nicolaevitch discutaient jovialement entre eux, en savourant leur thé. Il observa plus attentivement le duc, qui semblait très intrigué par les échanges entre Raspoutine et Nicolas II. Soudain, le jeune noble reporta son attention sur le garçon. Pendant un instant, ils demeurèrent ainsi à se fixer, jusqu'à ce que le tsar revînt avec Raspoutine vers le cercle d'invités.

Le duc reporta son intérêt vers le moine qui demeurait, malgré tout, légèrement en retrait. Quelque chose dans le regard bleuté du jeune homme ressemblait à de la haine, et Viktor le saisit parfaitement. Il remarqua alors que la princesse Zinaïda Youssoupoff fixait elle aussi le moine avec autant d'inimitié. Le Jeune Loup pinça les lèvres tout en fronçant les sourcils. Cette étrange scène qui se déroulait là, devant lui, composait un étrange tableau empreint de non-dits et de regards sinistres, presque palpables. Les autres invités percevaient-ils ces échanges silencieux et pourtant si lourds ? Quelle comédie jouait-on ici, dans ce salon feutré ?

Cher frère,

Raspoutine vient de présenter votre protégé à la cour. Il cherche, visiblement, à l'introduire dans le cercle privé de la tsarine Alexandra et des enfants royaux. L'ascendant qu'il exerce sur l'impératrice, auprès de qui il passe pour un véritable staretz * *et un sauveur, ne fait que croître. Mes informateurs me confirment* également que son influence sur le tsar est, elle aussi, de plus en plus grande, et que l'empereur ne prend plus aucune décision sans en faire part, au préalable, au moine.

Les Piliers de l'Arcane sont inquiets des comportements de notre homme. Le prieur a un plan, que nous ignorons toujours. Il poursuit une quête mystérieuse qui préoccupe les gardiens du secret. Jamais encore un Grand Maître n'a œuvré pour lui-même, comme le fait Raspoutine. Viktor dégage une aura particulière qui intéresse visiblement le moine. Mais, encore une fois, dans quel dessein ? Que cherche à atteindre le prieur ? Il ne se confie jamais à quiconque et personne, si ce n'est Anna Vyroubova, ne peut se vanter d'être proche de lui. Une grande part d'ombre enveloppe cet homme. Dois-je vous préciser que l'amante fait elle aussi partie des proches de la tsarine et qu'elle en est la demoiselle d'honneur ? Comme vous pouvez le constater, le prieur déploie ses filets.

Les tensions sont grandes à Saint-Pétersbourg et dans les autres grandes villes de Russie. Le conflit est imminent et les oppositions au tsar sont palpables. Et l'on reproche maintenant à l'empereur l'influence qu'a le prieur sur ses décisions. L'omniprésence de celui-ci à la cour vient s'ajouter à la longue liste des critiques. Le tsar est bien mal conseillé, et cela ne joue pas en sa *faveur. Nous ignorons encore quel rôle jouera votre fils adoptif dans cette histoire, mais je vous propose de vous faire plus présent dans sa vie, dès que votre santé vous le permettra. Nous pouvons influencer le Grand Maître pour que vous soyez appelé dans la capitale royale. Raspoutine, bien qu'indépendant face à la confrérie, ne rejette pas les ordres des gardiens du secret, du moins, pas encore ! Je vous prie, cher frère, d'agréer mes plus sincères et plus respectueuses salutations. Le jour n'est plus très loin où nous nous rencontrerons enfin. Des décisions sont en cours et, bientôt, des verdicts tomberont.*

Votre dévoué ami et frère.

Chapitre 10

Commanderie de la Confrérie des Loups,

Saint-Pétersbourg

— Prépare tes bagages, nous partons demain matin à la première heure pour Ipatiev, lança Raspoutine à Viktor, tandis que ce dernier descendait de son cheval.

Un jeune palefrenier, fils d'un des domestiques, attendait docilement qu'on lui tendît les rênes de l'animal pour l'emmener aux écuries.

— Ipatiev? interrogea le garçon en levant la tête vers le magistère qui demeurait en selle.

— Aurais-tu oublié, jeune écervelé, que les épreuves pour devenir un Loup ne sont pas toutes passées et qu'il te reste encore beaucoup à apprendre? Crois-tu que d'être ici, à Saint-Pétersbourg, fait de toi un Loup et que cela t'exempte de subir les rites de passage comme les autres qui sont demeurés à Kostroma?

— Euh, non, non, bien sûr… Maître, je… je ne voulais pas… je veux dire, je n'ai pas cette prétention. Je sais bien que ma formation n'est pas terminée et que j'ai encore tout à apprendre, mais, mais… je ne me figurais pas que la cinquième épreuve se déroulerait maintenant.

— Tu ne te le figurais pas ? lança Raspoutine en toisant le jeune homme.

Son ton était rêche et Viktor se demandait bien pourquoi. Avait-il dit ou fait quelque chose au courant de la journée pour déclencher la colère du moine ? Le trajet du palais jusqu'à la commanderie s'était effectué dans un silence religieux, mais jamais le Jeune Loup n'avait ressenti de malaise. Pourquoi, soudain, cet emportement ? Qu'est-ce qui avait bien pu provoquer la fureur du Grand Maître ?

— Crois-tu pouvoir imaginer les choses à ton âge, Jeune Loup ? Est-ce à toi que revient la charge de décider des événements ? Si c'est le cas, je n'étais pas au courant. Aurait-on omis de m'informer de ta nomination en tant que Grand Maître ? s'emporta le prieur en haussant le ton.

Son visage se teintait de rouge et ses yeux exprimaient une vive colère. Viktor sentit une onde le traverser. Un mélange de malaise et de crainte le gagnait. Le jeune palefrenier, non loin de lui, se tassait de plus en plus derrière le cheval de Viktor, comme s'il cherchait à se faire discret. L'enfant, guère plus âgé que le Jeune Loup, semblait effrayé.

— Non, non… Je… je suis réellement désolé, mon maître, bafouilla Viktor, baissant la tête en signe de soumission, si j'ai, d'une manière ou d'une autre, provoqué votre colère…

Raspoutine continuait de le détailler. Quelque chose d'étrange et de cruel animait son regard déjà si énigmatique. Quelque chose d'inquiétant se dégageait de lui.

— Prépare tes bagages, nous partons demain matin dès l'aurore, répéta-t-il pour clore la conversation, avant de donner un violent coup de talon sur le flanc de sa monture.

Viktor regarda l'étalon s'éloigner au galop, puis franchir les clôtures de fer forgé et disparaître derrière les arbres qui cernaient le domaine. Le lad*, de son côté, entraîna le cheval vers l'écurie sans demander son reste.

Le Jeune Loup demeura immobile pendant de longues minutes devant les marches qui menaient à la demeure. Il s'interrogeait sur les raisons de la mauvaise humeur du Grand Maître. Cela faisait maintenant quelques mois que Viktor ce trouvait dans la capitale impériale et ses relations avec Raspoutine s'étaient lentement développées. Le Jeune Loup fréquentait de façon régulière le couple impérial et leurs enfants, développant avec eux ces liens tant espérés par le prieur. Alexandra semblait si bien apprécier la présence de Viktor auprès d'eux, quelle avait confié à Raspoutine son désir d'enmener l'enfant avec eux en vacances en Crimée. Était-ce cette invitation qui avait soulevé la fureur du magistère ? Viktor ne comprenait pas. N'était-ce pas ce que le prieur souhaitait, qu'il fût admis dans le cercle privé de la famille royale ?

Viktor poussa un profond soupir. Il avait beau réfléchir, il ne voyait pas. Toujours ahuri, il haussa les épaules en signe d'impuissance. Il n'était pas facile de satisfaire le Grand Maître, et le Jeune Loup découvrait chaque jour toute la complexité de son être. L'homme pouvait se montrer d'une amabilité prodigieuse et, quelques secondes après, d'une agressivité démesurée. Le garçon s'appliquait de son mieux à lui plaire et passait le plus clair de son temps à tenter de réfléchir aux moyens de ne pas le décevoir.

Mais n'était-ce pas justement ce que le moine espérait : que le Jeune Loup cherche désespérément à lui plaire ? Sa mansuétude ouvrait toutes grandes les portes de son obéissance et de sa soumission. L'enfant avait baissé sa garde et devenait malléable ; bientôt, il serait totalement dévoué à son Maître. Raspoutine était passé maître dans le domaine de la manipulation, mais le Jeune Loup ne s'en doutait pas encore.

Impuissant, Viktor gravit les marches de la demeure, choisissant pour l'heure de rejoindre ses frères dans la salle à manger. Le souper venait d'être annoncé, et ce fut avec un plaisir non dissimulé que le jeune garçon prit place à la même table que ses compagnons. Leur présence calmerait ses angoisses, il le savait. Être en leur compagnie le rassurait et, dans ces trop rares moments, il retrouvait toujours un peu de son bonheur passé au monastère. Il aimait être avec eux.

D'un geste de la main, il chassa ses préoccupations. S'il avait fait quelque chose de mal, il le saurait bien assez vite !

Le train, enveloppé dans un épais nuage de vapeur, siffla trois fois avant de faire son entrée dans la petite gare de Kostroma. Les voyageurs, et ceux qui se trouvaient à la gare pour les accueillir, se ruèrent sur le quai dans une confusion totale. Le train ne restait que quelques minutes en gare avant de poursuivre son trajet jusqu'en Sibérie ; il ne fallait donc pas le manquer. Des passagers tentaient d'en descendre, tandis que les autres essayaient d'y monter. La mêlée se jouait à grands coups de coude et à grand renfort de regards, indignés chez certains, amers chez d'autres. Une vraie cohue.

Raspoutine se montra à l'une des portes. Son charisme et sa personnalité eurent pour effet de calmer presque immédiatement ceux qui se pressaient pour monter. Un chemin s'ouvrit naturellement devant lui.

Satisfait, il emprunta le marchepied, suivi de près par Viktor et quelques Loups. L'aspect général de ces hommes avait de quoi calmer les foules. Entièrement vêtus de noir, même en ce chaud mois de juillet, ils étaient bâtis comme des bœufs et impressionnaient les villageois de Kostroma avec qui, pourtant, ils cohabitaient depuis des générations. Ces hommes vivaient dans la région depuis des siècles, mais le mystère qui les entourait, les légendes qu'ils généraient et la force qui se dégageait de cet ordre imposaient encore et toujours le même respect. Des murmures circulaient à leur sujet au village, mais les Loups n'y prêtaient pas attention.

Au bout du quai, tandis que la vapeur continuait de s'échapper de la locomotive, trois ombres se profilèrent à travers la nuée grisâtre. Viktor sentit son cœur bondir dans sa poitrine en reconnaissant la silhouette de son père adoptif. Sans attendre d'en recevoir la permission de son maître, il s'élança aussitôt vers Arkadi. Raspoutine surprit du regard l'élan du garçon, leva la main pour l'arrêter, mais il était trop tard. Déjà, Viktor arrivait à la hauteur du sénéchal qui accueillit le Jeune Loup dans ses bras.

— Père, je suis si heureux de vous revoir, vous m'avez tellement manqué !

Viktor sentit des larmes brouiller ses yeux en découvrant les cicatrices marquant encore le visage de son père. Il réalisa seulement à cet instant à quel point l'agression avait été sauvage. Si longtemps après, les marques étaient toujours aussi apparentes. Il ressentit alors de la honte de ne pas avoir épaulé son père adoptif dans cette sombre épreuve. Depuis son départ d'Ipatiev, il ne lui avait presque pas écrit.

— Bon retour à la maison, Viktor. Tu nous as également manqué. Mais nous en reparlerons plus tard.

Le ton d'Arkadi n'était pas teinté de rancune, au grand soulagement du Jeune Loup.

Le sénéchal repoussa légèrement le garçon qui, des yeux, suivit le regard de son mentor. Celui-ci fixait intensément Raspoutine qui les dévisageait avec reproche. Ce genre de démonstration n'était pas tolérée dans la confrérie, et encore moins en public. Arkadi ne souhaitait pas que le garçon, dès son retour, fût puni. Viktor comprit aussitôt l'erreur qu'il venait de commettre en étalant ainsi ses sentiments. C'était à proscrire, et il le savait. Le prieur était manifestement mécontent. Ses yeux exprimaient de l'animosité et le Jeune Loup en fut troublé.

En silence, après avoir récupéré les bagages, le petit cortège se dirigea vers les chevaux pour prendre la route qui menait à Ipatiev. Ils avaient encore du chemin à faire avant d'arriver au monastère, il était donc inutile de se perdre en courtoisies.

— Ton comportement à la gare n'est pas digne d'un Loup, tu es donc privé de repas pour la journée. Tu montes aux dortoirs, et interdiction de parler à qui que ce soit. Nous te reverrons demain matin, tonna la voix du Grand Maître à l'intention de Viktor, alors qu'ils venaient de mettre pied à terre dans la cour du monastère, où plusieurs membres de la confrérie les attendaient. Et tu as bien de la chance que je ne t'isole pas durant tout notre séjour.

Viktor baissa la tête et, dans un murmure à peine audible, il parvint à prononcer :

— Oui, maître.

— Je n'ai pas entendu.

Viktor le dévisagea un instant. La dureté de Raspoutine était cruelle.

— Oui, maître ! répéta-t-il plus fort.

Il avait envie de pleurer. Cette punition était si sévère, si injuste, pour Viktor qui se faisait une telle joie de revoir les autres, de ressentir la douceur des bras d'Ekaterina se refermer sur lui, elle qu'il considérait comme sa mère, et de retrouver son amie Sofia, à qui il avait si souvent pensé. Il avait tant de choses à leur raconter. Il avait espéré passer du temps avec son père adoptif pour lui dire tout ce qu'il avait vu à Saint-Pétersbourg, lui parler des automobiles qui sillonnaient des rues aussi larges que la rivière Kostroma elle-même, de la commanderie, de Tsarskoïe Selo, du palais d'Hiver et des Romanov, du tsar et de sa femme, d'Alexis et d'Anastasia... oui, lui parler d'Anastasia, sa nouvelle amie, lui dire à quel point cette jeune fille était extraordinaire.

Il n'osa même pas regarder Arkadi, qui se tenait près de lui, de peur de se voir cantonné aux dortoirs durant tout son séjour au monastère. Il était impuissant devant la décision du prieur ; il ne pouvait que l'accepter s'il ne voulait pas provoquer un plus grand courroux encore.

Les épaules basses, le regard empreint de tristesse, le garçon ramassa son sac avant de prendre, avec le plus de dignité possible, le chemin qui menait aux étages supérieurs. À cet instant précis, il détesta cet homme pour qui, néanmoins, il avait parfois ressenti de l'affection. Raspoutine venait de l'humilier devant les membres de sa confrérie, devant son père et devant ses amis, et pour cela, il lui en voulait.

Chapitre 11

Quatorze Chefs de meute étaient rassemblés dans le grand salon et attendaient, dans un silence respectueux, que la réunion débute. Cette rencontre était réservée aux Chefs de meute assumant l'éducation d'un Jeune Loup.

Le magistère de l'ordre s'était changé et avait revêtu une tenue qui seyait mieux à son titre : une bure noire brodée aux couleurs de la confrérie, le rouge et le noir, et qui arborait en son centre, sur la poitrine, une roue traversée d'une croix. Il se tenait dos à l'assemblée et semblait se recueillir ou méditer, on ne saurait dire, lorsque, enfin, après dix interminables minutes de silence, il se tourna vers les membres de sa confrérie. Durant ce laps de temps, aussi long fût-il, personne ne devait bouger ni même regarder les autres. C'était une des marques de dévotion des Loups envers leur commandeur.

On eût pu croire que Raspoutine prenait plaisir à imposer ce genre de situations à ses hommes, afin de leur démontrer qu'il était le maître. Il avait besoin de rétablir son autorité lorsqu'il revenait à Ipatiev, afin de réaffirmer qu'il était et demeurait le seul à décider, même s'il était physiquement absent du monastère. Raspoutine aimait jouer ainsi de son pouvoir pour mieux s'imposer aux autres.

— Mes Loups, dit-il enfin, l'éducation de nos jeunes aspirants se déroule très bien jusqu'à ce jour. Nos élèves se sont montrés dignes de faire partie de notre confrérie. Nous pouvons affirmer, je pense, que leurs efforts et leur caractère sont garants d'un bel avenir. Les astres ont guidé les choix de feu maître Gregori lors de la sélection des candidats. Les épreuves qu'ils ont subies et relevées avec brio depuis leur arrivée au monastère nous démontrent bien que ce choix était le bon. Je ne peux qu'applaudir le travail que vous faites auprès d'eux, vous êtes tous d'excellents Chefs de meute et pères adoptifs pour cette relève.

Le moine marqua une pause.

— Nous voilà à l'heure de la cinquième épreuve de nos Jeunes Loups, celle de la Foi. Épreuve qui, comme vous le savez, ne se limite pas au déploiement de leurs forces physiques, mais bien à celle de leur conviction de réussir ce nouveau défi. Ils ont prouvé par le passé que leurs aptitudes physiques et leur détermination pouvaient les faire réussir l'étape du Courage;

ils devront maintenant démontrer à quel point ils ont foi en eux-mêmes et en nous. L'ordre de passage sera déterminé au hasard. Nous allons dès à présent en fixer les rangs. Une fois le tirage terminé, je vous invite à préparer vos élèves, car la cinquième épreuve débutera cette nuit. Je n'ai pas à vous rappeler que vous devez taire les détails du déroulement de cette nouvelle initiation, ainsi que le moment marquant son début officiel.

Raspoutine s'approcha d'une table sur laquelle une urne en albâtre avait été déposée. À l'intérieur se trouvaient les noms des quatorze Jeunes Loups qui devaient passer la cinquième étape de leur évolution sur le long chemin qui les menait vers le grade de Loup. Le moine regarda une seconde les Chefs de meute, comme pour imposer sa volonté. Il plongea son bras dans l'ouverture et en extirpa un premier papier soigneusement plié en quatre. Il le déplia avec lenteur avant de prononcer de sa voix grave :

— Konstantin, dit-il en portant les yeux vers le père adoptif du jeune homme. Smirnov, ton élève sera le premier des Jeunes Loups à subir l'épreuve de la Foi, annonça le Grand Maître en tendant le bout de papier au Loup. Le deuxième, poursuivit-il sans attendre en replongeant son bras dans l'urne, sera Nikita.

Raspoutine tendit le billet annoté à Miroslava qui s'en saisit avec une fierté évidente. Il était connu de tous que cette Louve était très fière de son élève et de ses exploits, et qu'elle en vantait sans cesse les mérites.

— Léonid, poursuivit le prieur en regardant Stanislav.

Et il poursuivit ainsi en prononçant un à un les noms des autres novices :

— Sofia, Darena, Rouben, Viktor, Kira, Piotr, Danslav, Sasha, Zemislav, Tassia, et le dernier, Vadim, conclut-il en tendant l'inscription à Iziaslav. Voilà, nous avons passé tout le monde. Vous connaissez maintenant l'ordre de passage de votre protégé. Nous irons les chercher lorsque le moment sera venu. Soyez prêts à les accompagner. Préparez-les dans la limite du possible, vous connaissez les directives. À ce soir ! lança le Grand Maître avant de quitter la pièce, comme il avait l'habitude de le faire lorsqu'il avait dit ce qu'il avait à dire.

Raspoutine ne restait jamais avec ses hommes pour répondre aux questions si jamais il y en avait ou, tout simplement, pour converser. Il semblait toujours pressé de partir, et cette attitude un peu cavalière indisposait certains.

Dortoirs du monastère Ipatiev,
en plein cœur de la nuit

Le garçon dormait paisiblement ; le mouvement lent et régulier de son torse indiquait bien que son sommeil était profond et tranquille, sans rêves, lorsqu'une main gantée se plaqua avec force sur sa bouche. Le dormeur se réveilla dans un sursaut et tenta, gesticulant, de retirer la main qui l'empêchait de hurler. Un bras d'acier enserra sa taille pour le soulever de sa couche et l'emporta comme un vulgaire paquet en dehors du dortoir.

Il faisait nuit noire, la voûte céleste était sans lune et l'abbaye ressemblait à une immense caverne de pierre taillée. Il était impossible au Jeune Loup de voir son ravisseur. Il se débattait du mieux qu'il le pouvait, mais la fermeté avec laquelle l'homme le tenait rendait tout mouvement presque vain.

D'un pas rapide, et avec une parfaite connaissance des lieux malgré l'obscurité ambiante, l'homme emporta son fardeau en direction de l'escalier principal. Le garçon, terrorisé, priait pour que quelqu'un les arrête avant qu'ils ne franchissent la porte d'entrée de l'abbaye, qu'une patrouille surgisse et stoppe cet inconnu qui cherchait à fuir avec un membre de la communauté.

Le monastère n'était jamais totalement endormi, et des frères lais faisaient régulièrement des rondes de surveillance. On n'entrait ni ne sortait de ces lieux aussi facilement que d'un moulin, et puis, il y avait la garde postée en permanence à l'entrée du domaine. Mais l'homme et le garçon n'atteignirent jamais le rez-de-chaussée. L'inconnu s'immobilisa au milieu de sa course dans l'immense escalier de pierre, à peu près à mi-chemin de la descente, puis fit face au mur.

L'enfant se demanda bien ce qu'il faisait là. Peut-être cherchait-il son chemin, ou encore tentait-il de repérer les bruits de pas de quelqu'un qui se serait lancé à leur poursuite ? Mais aucun bruit ne leur parvint, ni pas ni cri d'alarme, et cela inquiéta davantage le jeune otage qui déjà s'interrogeait sur les intentions de son ravisseur.

Mais pourquoi demeurait-il là en plein milieu de l'escalier, tourné vers le mur ? Le Jeune Loup connaissait parfaitement les lieux et il savait fort bien qu'il n'y avait aucune porte à cet endroit. C'est alors qu'à son grand étonnement la paroi pivota sur elle-même pour s'ouvrir sur un trou béant, encore plus noir que l'obscurité qui régnait autour d'eux. L'homme déposa sans ménagement son fardeau sur le sol et disparut. Le tout s'était passé extrêmement rapidement. À peine quelques secondes s'étaient écoulées entre l'instant du rapt et l'atterrissage du Jeune Loup dans cette espèce d'oubliette plongée dans le noir.

Konstantin se remit aussitôt sur ses pieds, encore abasourdi par ce qui venait de se passer. Rêvait-il ? Debout devant la cloison qui venait de se refermer dans un bruit sourd, il essaya de trouver à tâtons une poignée, un levier, une encoche ou quelque chose qui lui indiquerait le moyen de sortir de là. Mais rien. La paroi était parfaitement lisse, comme si son ouverture n'était possible que de l'extérieur. Il se mit à pousser de toutes ses forces sur cette satanée construction de pierre, mais il ne se passa rien ; elle ne remua même pas. Graduellement et devant l'incompréhension des choses qu'il vivait, la panique commença à le gagner. Sans qu'il ne le décide vraiment, comme si c'était son instinct qui prenait le contrôle de son être, il se mit à hurler, à crier à l'aide, frappant de ses poings et de ses pieds nus la robuste cloison.

Mais rien ne se passait. La paroi ne montrait aucune faiblesse et demeurait aussi solide qu'une montagne. Il avait la nette impression que sa voix ne parvenait même pas à percer l'épaisseur des pierres. Personne ne l'entendait. Personne ne viendrait l'aider. Il était seul.

Le silence était profond autour du captif, et Konstantin percevait sa propre peur à travers les battements de son cœur et sa respiration haletante. Il ne savait pas quoi faire, mais il tenta de se calmer en se disant qu'une solution allait forcément se présenter à lui. Tout à coup, deux mains l'agrippèrent fermement. Il tenta de se retourner pour se placer en position de combat. Il n'était peut-être pas en âge de se battre, mais il était déterminé à ne pas se laisser faire. Malgré sa fougue, cependant, la pression qui se resserrait autour de ses bras fut beaucoup trop forte.

Ce fut alors qu'il vit sur sa droite jaillir une étincelle, puis une flamme. Quelqu'un allumait une torche. Enfin, il allait voir où il était et qui se trouvait là également. Il allait enfin savoir. Le Jeune Loup tourna la tête et découvrit avec horreur deux hommes au visage déformé, qui ressemblaient à des diables. Il poussa un affreux hurlement. Au même moment, un des deux hommes lui appliqua un bandeau sur les yeux. La panique le gagnait et il se mit à hurler de plus belle en tentant de se dégager, mais l'emprise était trop grande. Il criait et donnait des coups de pied, se débattait comme un désespéré lorsqu'il entendit tonner une voix ferme.

— Tais-toi ! le somma la voix.

— Mais qui êtes-vous ? Que me voulez-vous ? s'écria Konstantin la voix chargée de peur et de ressentiment.

La seule réponse qu'il obtint fut le silence. À travers son bandeau, Konstantin tenta de retenir les larmes qui roulaient sur ses joues froides. Apeuré et inquiet, il sentit soudain la pression autour de son corps se relâcher; il était maintenant libre de ses mouvements. Pendant une seconde, il pensa fuir, mais pour aller où ? Il était enfermé dans un endroit étrange, il ignorait comment en sortir et il ne voyait strictement rien. Une main se posa sur son épaule.

— Avance et tout ira bien !

— Mais je ne vois rien ! Comment voulez-vous que j'avance ?... Enlevez-moi ce bandeau, répondit, non sans une certaine hargne, Konstantin en portant ses mains vers son visage avec l'intention de retirer le tissu qui lui cachait les yeux.

Mais son geste fut immédiatement arrêté par un des hommes.

— Tu n'enlèves pas le bandeau.

La main qui était toujours sur son épaule le poussa pour l'inciter à se mettre en marche. Le Jeune Loup trébucha sous l'effet de l'élan, avant de retrouver son équilibre. Il n'avait qu'une seule envie : se rouler en boule et pleurer. Ses pensées ne formaient rien de cohérent, il ne parvenait plus à réfléchir comme on lui avait appris à le faire depuis son plus jeune âge.

Aveugle, il se mit en route, pas à pas, dans ce qui lui semblait former un couloir assez étroit. De ses deux mains, il prenait appui sur les parois pour se diriger. Il sentait, derrière lui, la présence des hommes, dont il ignorait le nombre exact. Après quelques minutes de marche silencieuse, il se mit enfin à réfléchir avec plus de discernement.

Il retrouva son calme et reprit une pensée logique. Il ne mit pas longtemps à entrevoir, dans toute cette mise en scène plutôt étrange, quelques éléments qui devaient certainement être liés à la cinquième épreuve. Les paroles qu'avait prononcées son père adoptif, Smirnov, avant qu'il ne se couche lui revenaient maintenant en mémoire.

«La cinquième épreuve est élaborée pour tester ta foi envers la confrérie, envers toi-même et envers ce que tu as appris. Tu devras te fier à l'inconnu et montrer à tes pairs que tu crois en eux, quoi qu'il arrive et quoi que l'on te demande. Tu ne dois pas chercher à comprendre, tu dois uniquement croire.»

Le Jeune Loup espérait réellement que ce qu'il vivait fût en lien avec l'initiation, car autrement, il ne voyait pas de quoi il retournait.

Quand son corps se pencha légèrement vers l'arrière, il comprit que le sol se prolongeait en pente. Son escorte et lui descendaient donc, mais la largeur du couloir demeurait la même. De ses mains qui commençaient à devenir sensibles, il en suivait le relief, marchant d'un pas incertain et le regard privé de lumière.

Konstantin avait l'impression de vivre cet enfer depuis des heures maintenant. Ses pieds et ses paumes lui faisaient mal, et il peinait à avancer lorsque, enfin, ses mains rencontrèrent le vide. Il venait de déboucher dans une pièce. Il perçut très clairement que celle-ci était plus spacieuse et plus fraîche. Il ne chercha plus à enlever le bandeau qui lui cachait la vue, parce qu'il savait instinctivement qu'il ne devait pas le faire avant d'en avoir reçu l'autorisation.

Il ignorait où il se trouvait et où il allait. Le Jeune Loup avait perdu la notion du temps et de l'espace. À quelle heure son ravisseur l'avait-il tiré de ses rêves ? Était-ce juste après qu'il se fût endormi ou en plein milieu de la nuit ? Il se rappelait la porte dissimulée dans le mur qui longeait l'escalier principal de l'abbaye, mais ils avaient marché si longtemps, combien de temps exactement ? Le jour était-il levé à l'extérieur de ce tunnel souterrain ? Il n'en avait aucune idée.

En vérité, il ne se trouvait qu'à quelques mètres seulement sous le scriptorium, dans une antichambre que seuls les initiés connaissaient. Plusieurs couloirs dérobés étaient répartis entre les différents bâtiments du monastère, comme le pavillon de la confrérie, le pavillon épiscopal, la cathédrale de la Trinité, le campanile et le palais des Romanov. Ces galeries conduisaient toutes vers cette salle commune souterraine qui servait principalement aujourd'hui de vestibule. C'est là qu'on avait décidé de réunir les novices pour les mener vers leur cinquième épreuve. À une lointaine époque, ces couloirs servaient de passages secrets entre les différents édifices et conduisaient même, par un très long tunnel, jusqu'au cœur de la forêt. Les constructions de ce genre étaient toujours imaginées et érigées en prévision d'une évacuation rapide des lieux, sans être obligé de passer par la porte de devant.

Mais pour ces néophytes*, le fait d'ignorer où ils se trouvaient, en plus d'avoir un bandeau sur les yeux, provoquait une impression de brouillage de leur perception du temps et de l'espace. Et c'était bien là le but recherché : faire perdre aux Jeunes Loups leurs notions spatio-temporelles pour qu'ils se sentent totalement désemparés.

Konstantin se mit à grelotter. L'humidité des lieux, la fraîcheur de la nuit et l'incertitude, tout cela mêlé à l'appréhension face à la suite des événements, avaient de quoi faire frissonner même les plus vaillants. Il sentait des déplacements autour de lui et comprenait que plusieurs personnes se trouvaient là. Mais aucun son ne se faisait entendre, aucune parole n'était échangée.

Quelqu'un s'approcha très près de lui. « Peut-être est-ce un des hommes qui me suivaient dans le corridor », songea-t-il. L'homme lui prit le bras pour lui faire comprendre qu'il l'entraînait à sa suite. L'inconnu marchait d'un pas rapide, ce qui fit trébucher le Jeune Loup presque à chaque enjambée, puisqu'il ignorait où il posait les pieds. Le sol n'était pas nivelé et rendait la démarche incertaine. Le mystérieux inconnu s'arrêta soudain. Le silence régnait toujours en maître.

— Descends ! ordonna-t-il d'une voix sourde.

Konstantin chercha des mains une rampe ou quelque chose qui lui indiquerait où se trouvait la première marche, mais il ne rencontra rien, seulement le vide. Il se mit à genoux pour tenter de trouver la première marche à tâtons, et ce fut là qu'il découvrit les barreaux d'une échelle*. À l'aveuglette, il entreprit de s'y glisser. Une fois ses pieds en place sur le premier barreau, il entama, hésitant, sa descente. Il ignorait jusqu'où il devait aller. Ce qu'il craignait le plus, en réalité, c'était de manquer un échelon et de tomber. Il ne voyait rien, et ce handicap minait considérablement sa confiance, déjà pas mal ébranlée. Il s'arrêta un instant pour tendre l'oreille; personne ne le suivait. Seul le bruit de sa respiration emplissait l'air. Il était donc seul, les yeux bandés, descendant une échelle et ignorant totalement où elle le menait.

Konstantin ne pouvait s'empêcher de s'interroger sur les raisons d'être d'un tel exercice. Il ne comprenait pas encore à quoi tout cela rimait, et des milliers de questions occupaient son esprit.

« Suis-je en danger ? Ces hommes sont-ils vraiment des Loups ? Comment puis-je savoir ? Je le présume, mais en réalité, je n'en sais rien. Et puis, où est mon père adoptif, pourquoi n'est-il pas là ? Et ce satané bandeau qui me cache la vue, puis-je l'enlever maintenant ? Est-ce que quelqu'un m'attend en bas ? Où sont les autres apprentis ? Pourquoi suis-je seul ? »

Voyant qu'il ne pouvait répondre à aucune de ces questions, le garçon comprit que les réponses se trouvaient certainement au bout de cette épreuve et qu'il devait poursuivre sa descente, même si l'idée ne l'enchantait guère. Ce qu'il fit donc, lentement, barreau par barreau.

Les échelons étaient glissants et froids sous ses pieds nus, et l'enfant s'agrippait fermement aux degrés au point d'en avoir mal aux jointures lorsque, enfin, son pied droit retrouva la terre ferme. Il posa le second à côté, mais attendit quelques secondes avant de se décider à lâcher les montants, comme s'il redoutait quelque chose. Il écoutait la nuit, attentif à tout mouvement, à tout déplacement d'air. Lâcher les barreaux, la seule chose qui le reliait encore avec le haut, avec la vie, exigeait de lui une grande volonté. L'initié avait l'impression que ces échelons pouvaient encore le ramener vers des voix humaines, vers son existence, comme si cette descente l'avait emmené ailleurs, dans un monde duquel il ignorait tout. Cette échelle représentait pour Konstantin le dernier lien avec son univers, puisqu'il comprenait qu'il devrait poursuivre le reste du chemin, toujours à l'aveuglette.

Le Jeune Loup attendit encore, retenant sa respiration, à l'écoute de ce qui l'entourait. Mais seuls le silence et le vide l'enveloppaient. Il était bien isolé. Les secondes s'égrainaient, et le Jeune Loup tenait toujours aussi fermement les barreaux. Puis enfin, il lâcha prise.

Konstantin se pinça les lèvres avant de prendre une grande inspiration. Les bras tendus, il fit quelques pas et se cogna contre la cloison rocheuse. En s'aidant de ses mains écorchées, il fit le tour de la galerie presque ronde. Celle-ci avait une faible superficie, à peine quatre mètres carrés. Les parois étaient totalement dénudées et presque lisses… Brusquement, il rencontra le vide.

Un passage.

Le garçon comprit qu'il devait l'emprunter. Il poursuivit son chemin, toujours aussi hésitant, lorsqu'il sentit ses pieds entrer en contact avec de l'eau. Konstantin avait remarqué que le sol s'inclinait un peu depuis quelques mètres déjà, et cette fois, il en déduisit que cette dénivellation le conduisait certainement dans une cavité où l'eau s'accumulait. Il en avait maintenant jusqu'aux chevilles, et la pente déclinait toujours. Le Jeune Loup doutait de plus en plus. Devait-il poursuivre sa route?

Deux possibilités s'offraient à lui: persévérer et suivre ce chemin qui menait vers l'inconnu, ou retourner sur ses pas, jusqu'à l'échelle, et exiger qu'on le sorte de là. Mais il continua d'avancer, et l'eau ne tarda pas à atteindre ses genoux, puis ses cuisses et enfin sa taille. Il était frigorifié. La descente se poursuivait toujours. Il devinait que c'était la seule voie possible, qu'il n'y avait probablement pas d'autre passage. Comme lors de sa progression initiale, il se trouvait dans un étroit couloir de roc et aucune autre ouverture ne s'ouvrait sous ses mains. L'eau lui arrivait maintenant à la poitrine, mais le jeune, de plus en plus inquiet, continua d'avancer.

Enfin, il déboucha dans une nouvelle salle. L'écho sur les parois lui renvoyait le clapotis des gouttelettes d'eau qui tombaient du plafond. Il s'approcha de la paroi pour recueillir entre ses mains en coupe quelques gouttes qu'il but. Konstantin tremblait comme une feuille dans une brise d'automne, mais il devait poursuivre.

Reprenant sa méthode du début, il fit le tour de cette nouvelle chambre, toujours à tâtons. Ses mains étaient blessées et couvertes de coupures, ainsi que ses pieds. Il saignait. Il avait maintenant de l'eau jusqu'au menton et peinait à avancer. Soudain, le Jeune Loup constata, abasourdi, qu'il tournait en rond. Son intuition lui soufflait qu'il était revenu au passage par lequel il était arrivé.

— Je ne comprends pas ! J'ai pourtant bien inspecté ce lieu, mais je n'ai pas trouvé d'autre ouverture. Le chemin ne peut se terminer là… C'est impossible, c'est trop bête ! Dois-je faire demi-tour ? Non ! Ce ne serait pas logique et totalement idiot… Non, non calme-toi, Konstantin ! Il doit y avoir une autre issue quelque part et tu es passé à côté… Refais le tour.

De ses mains tremblantes, il examina attentivement la paroi rocheuse devant laquelle il se trouvait, recherchant de ses doigts endoloris quelque chose qui lui permettrait d'identifier cet endroit. Tout à coup, il perçut un relief qui n'avait rien de naturel. Il l'étudia du bout de ses doigts. L'objet se trouvait à la hauteur de ses yeux et, à ce qu'il put en juger, il s'agissait d'un cercle hérissé de pointes. Il comprit enfin que cette forme était le symbole de la confrérie, sculpté dans le roc. Une indication sur le chemin à suivre ? Il ne l'avait pas remarqué avant, mais peut-être en avait-il croisé d'autres tout au long de sa descente.

Cette découverte, aussi insignifiante puisse-t-elle paraître, le réconforta. Il n'était pas totalement seul, dans un lieu oublié de tous. Les paroles de son mentor lui revinrent en mémoire.

« La cinquième épreuve est élaborée pour tester ta foi envers la confrérie, envers toi-même et envers ce que tu as appris. »

Oui, on testait ses convictions et ses aptitudes à choisir en fonction de ce qu'on lui avait enseigné. Ça lui semblait maintenant d'une telle évidence, mais cela serait-il suffisant pour la suite de l'épreuve ?

— Je dois aller jusqu'au bout... On me montre le chemin, il n'y a plus de doute à avoir, je suis sur la bonne route.

Un peu plus motivé, Konstantin refit une nouvelle fois le tour de la pièce pour revenir là où il avait touché la figure en relief. Cette réalité le déconcerta ; il était bien de retour à l'entrée par laquelle il venait d'arriver. Se trouvait-il dans un cul-de-sac ?

Pourtant, il était bien sûr de n'avoir croisé aucune autre ouverture, aussi petite fût-elle. Ne pouvant admettre qu'il se trouvait dans une impasse, il refit encore un tour, se montrant plus attentif à chaque interstice, à chaque brèche que ses mains rencontraient. Mais rien. Il revint à son point de départ. Il était exténué et totalement gelé. Il grelottait de tout son être, et pourtant il devait trouver l'issue, car il savait qu'elle existait. Il refit le tour pour la quatrième fois. Et ce fut là, seulement, que son pied, qui longeait également la paroi sous l'eau, rencontra un vide. Sans perdre une seconde, le garçon plongea pour examiner cette nouvelle ouverture. Oui, ça ne pouvait être que cela. Elle était assez grande pour qu'un corps y passe. Il refit surface en recrachant de l'eau. Content de lui. Dans le noir, bien qu'il fût seul, Konstantin sourit.

— Bon ! De toute évidence, je dois emprunter ce passage, mais comment savoir si ce n'est pas un simple trou dans la paroi rocheuse ? Comment savoir où cela va me mener ? Combien de temps vais-je devoir nager ? Et si je manquais d'air en plein milieu du trajet ? Je ne peux retirer mon bandeau, c'est hors de question ! Je suis persuadé que cela fait partie de l'épreuve. De toute façon, il doit faire tout aussi noir là-dedans, alors avec ou sans, c'est pareil. Je dois me fier à mon instinct. Je dois me fier aux Loups. Ils ne vont pas me laisser me noyer ou me perdre, c'est impossible… Non, j'ai foi en eux. Jamais ils ne me laisseront tomber.

Le Jeune Loup prit une profonde inspiration avant de replonger vers l'ouverture. Le passage était étroit, et il dut s'aider de ses mains pour avancer, car il était impossible de nager. Enfin, après quelques secondes qui lui parurent durer une éternité, il déboucha dans une nouvelle salle.

Dès que sa tête émergea de l'eau et qu'il recracha bruyamment l'air qui lui restait dans les poumons, il entendit :

— Sois le bienvenu, Konstantin !

Cette voix lui était inconnue. Elle était étonnament basse et sans particularité, presque éteinte. Il se redressa pour y faire face, mais n'osa pas bouger, bien que son être frissonnât jusqu'à sa carcasse. Il avait si froid qu'il entendait même ses dents s'entrechoquer entre elles.

— Avant que nous retirions ton bandeau et que nous te rendions la vue, tu dois prêter serment. Es-tu prêt à le faire ?

Le Jeune Loup opina de la tête avant de dire d'une voix tremblante :

— Ouuiii, je suis prêt.

— Jures-tu de servir la confrérie au péril de ton être et de ton âme ?

Konstantin hésitait, ignorant totalement ce qu'il devait répondre.

— Oui, je le jure.

— Jures-tu une obéissance aveugle envers les membres de l'ordre ?

— Oui, je le jure.

— Pour sceller ton serment, tu dois cracher devant toi, annonça la voix monocorde.

Konstantin n'hésita qu'un bref instant avant d'obéir. Un long silence qui dura presque une minute s'ensuivit. Le Jeune Loup ne percevait plus rien, le vide semblait avoir repris sa place, lorsqu'enfin il entendit :

— Tu viens de réussir la cinquième épreuve Konstantin. Tu as fait montre d'une grande foi envers les membres de ta confrérie et envers toi-même.

Cette voix là, il la reconnaissait parfaitement, c'était celle de son père adoptif, et d'après sa sonorité, il se trouvait très près de lui. Sans rien ajouter, Smirnov l'aida à sortir du bassin avant de lui enlever son bandeau pour lui rendre la vue.

Une grande fierté se lisait sur le visage du Chef de meute. Avec l'aisance de celui qui n'a jamais douté de son élève, il jeta une couverture de laine sur les épaules de son fils adoptif.

Le Jeune Loup, revenu de son aventure, jeta alors un coup d'œil autour de lui. La salle, bien que taillée dans le roc, était très confortable. Dans un coin, deux braseros réchauffaient l'endroit et les parois s'habillaient de draperies. Konstantin poussa un profond soupir de soulagement. Il sentit des larmes couler sur ses joues glacées et écorchées. Il était si heureux d'avoir écouté son instinct et de ne pas avoir suivi ses premières pensées qui lui dictaient d'abandonner et de rebrousser chemin. Ses idées absurdes lui auraient fait échouer l'ultime épreuve de la Foi. C'est alors seulement qu'il réalisa qu'il n'y avait que lui et son père adoptif dans cette étrange pièce sculptée à même la roche et que personne d'autre ne se trouvait là. Il lui était donc impossible d'identifier la personne à qui avait appartenu cette voix si étrange qu'il venait d'entendre et qui lui avait fait prêter le serment de loyauté envers la confrérie.

Sur les quatorze Jeunes Loups qui devaient participer à cette cinquième épreuve, deux abandonnèrent en cours de route: Darena, la fille adoptive de Ivanov, fut prise de panique au moment de passer l'étroit couloir sous l'eau, alors qu'elle était si près du but. Et Danslav, fils adoptif de Gorlanov, refusa de poursuivre l'épreuve parce qu'il avait été effrayé. En posant son pied sur le premier échelon, il avait glissé, et si l'homme qui se tenait à ses côtés ne l'avait pas rattrapé, le jeune plongeait dans le vide. Cet incident avait provoqué chez lui une peur si terrible que le Jeune Loup avait décidé, en pleurs, de renoncer.

Les effets personnels des jeunes qui avaient échoué l'épreuve furent emballés, et ils durent emménager dans un autre dortoir, là où se trouvaient les sept autres jeunes du même âge et qui avaient abandonné les épreuves précédentes. Leur destin venait de changer. Ils ne seraient jamais des Loups, ni des Chefs de meute, mais vivraient leur vie sous les ordres de leurs frères et sœurs. C'étaient les dures lois de la confrérie. Seuls les plus vaillants demeuraient.

Viktor n'eut aucune peine à réussir l'épreuve, sous le regard admiratif d'Arkadi. Il faut dire que le Jeune Loup n'éprouva pas les mêmes peurs que ses compagnons, puisque, tout au long du parcours, il avait su anticiper les événements. Même les yeux bandés, il percevait les obstacles.

Toutefois, il se garda bien d'en faire part à quiconque. Viktor comprenait que ses compagnons n'avaient pas encore acquis certaines des aptitudes que lui-même possédait déjà et qu'il maîtrisait de mieux en mieux. Depuis l'épreuve dans la forêt, le garçon gagnait chaque jour en force psychique.

Arkadi accueillit son fils dans ses bras, visiblement très fier de lui. Toutefois, le Loup n'était pas dupe.

— Tes facultés se développent à grande vitesse, Viktor. Cette épreuve ne devait pas être aussi pénible pour toi que pour les autres, n'est-ce pas? Nous aurions peut-être dû la corser un peu? fit-il en lui décochant un clin d'œil, avant de resserrer son étreinte.

La salle se trouvait à plusieurs mètres sous le monastère, et c'était par un long escalier en colimaçon magnifiquement ouvragé, qui semblait avoir été fabriqué il y a des siècles, qu'on y accédait. Sur les marches de fer forgé, à quelque distance d'eux, Raspoutine observait attentivement la scène entre le sénéchal et le Jeune Loup. Viktor redressa la tête pour voir la longue silhouette du Grand Maître, et il lui fit un sourire, tandis qu'Arkadi feignait d'ignorer la présence du moine.

Une lueur particulière anima le regard du prieur. Il eut un sourire étrange avant de remonter l'escalier. Il avait vu ce qu'il voulait voir, il pouvait maintenant se retirer.

Chapitre 12

La brume nappait les murs de l'abbaye, dissimulait la forêt et noyait les champs et la campagne encore endormie. L'aurore, elle, tentait timidement d'infiltrer sa lumière pâlichonne à travers cet épais brouillard matinal, mais en vain. La rosée venait de déposer son léger voile de gouttelettes. Les bottes d'un homme cueillirent ce film d'eau comme on recueille la crème sur le lait. L'individu enveloppé de noir se faufila jusqu'aux écuries où un jeune palefrenier l'attendait, les rênes dans une main, une lanterne dans l'autre. Le lad, une couverture sur les épaules, avait les yeux rougis et le regard de celui qui ne rêve que de retrouver sa couche, aussi inconfortable soit-elle. Arkadi le salua d'un léger signe de tête, les yeux animés de moquerie devant l'air abruti du jeune homme. Il monta son cheval, ajusta son vêtement, avant de lancer d'un ton ironique au jeune :

— Es-tu bien sûr de ne pas être en train de rêver que tu te trouves dans cette étable avec moi en songeant que tu serais mieux dans ton lit ? Peut-être l'es-tu ! Peut-être ne suis-je qu'un fantôme qui hante tes songes !

Le jeune serviteur ouvrit de surprise ses grands yeux endormis, incertain de bien cerner cette fiction dont parlait le sénéchal, ce qui fit éclater le Loup de rire.

— Allez, retourne te coucher, mon garçon, tu as encore un peu de temps devant toi pour dormir avant que la domesticité ne se réveille... Mais n'oublie pas, si on te le demande, tu ignores où je suis, c'est bien clair ? Sinon, je viendrai te tirer les orteils dans ton sommeil !

Le garçon d'écurie opina de la tête, se demandant si le Chef de meute blaguait ou non. Était-il éveillé ou dormait-il ?

Arkadi se pencha pour lui ébouriffer les cheveux, puis tira légèrement sur les rênes de son magnifique cheval à la robe alezane* en émettant deux petits bruits secs de sa bouche. La bête reconnut l'ordre et se dirigea vers les portes entrebâillées de l'écurie. Le sénéchal jeta un dernier regard au garçon en souriant de malice, puis dirigea son cheval vers un étroit chemin qui menait vers un portail dérobé du monastère. Ne voulant pas que l'on sache à quelle heure il avait quitté l'abbaye, le Loup jugea qu'il était préférable de sortir par cette issue dissimulée entre les arbres et les buissons du parc que par celle où un gardien veillait en permanence.

Une fois hors du domaine monastique, il fit prendre à la bête la direction de Kostroma. Les domestiques allaient bientôt se réveiller, ainsi que quelques membres de la confrérie qui avaient l'habitude de se lever tôt. Il devait partir vite afin d'éviter toutes questions indiscrètes. Il avait un rendez-vous qu'il ne voulait surtout pas manquer.

Un apothicaire de passage dans la région avait accepté de le rencontrer, il y avait maintenant un an de cela. L'homme se promenait, à bord de sa *troïka**, de village en village pour offrir ses services aux gens qui n'avaient pas les moyens ou la possibilité de se déplacer. À ceux-là, il prescrivait et vendait des potions et panacées. Le vieil homme avait acquis une solide réputation dans toutes les petites villes et bourgades des alentours, et ce, jusqu'à Moscou. On disait de lui en riant qu'il était un quart praticien, un quart pharmacien, un quart sorcier et un quart charlatan.

Aujourd'hui, il était prévu que le bonhomme s'arrête à Kostroma. L'apothicaire passait seulement une fois par an dans les différentes localités de la région, suivant un itinéraire établi bien des décennies auparavant. Le sénéchal ne voulait pas le manquer, car alors il lui faudrait attendre une autre année encore avant d'avoir l'occasion de le voir.

À bride abattue, il poussait son cheval au galop, toujours plus vite. Il ne souhaitait pas rater ce rendez-vous, certes, mais ne tenait pas non plus à rentrer trop tard à l'abbaye. Le monastère Ipatiev se trouvait tout de même à plusieurs verstes de Kostroma, et le sénéchal ne pouvait s'absenter trop longtemps, sinon il lui faudrait rendre des comptes au prieur. Qu'il parte quelques heures sans prévenir, ça allait, on pouvait alors penser à une longue promenade à travers champs, mais qu'il parte une journée entière posait bien évidemment problème. Il était plus difficile de justifier une si longue absence.

Durant le trajet, les pensées du Loup se tournèrent vers Viktor et son retour au monastère, où il resterait pour quelques jours encore. Le garçon avait changé. Plusieurs fois, le Loup avait remarqué les regards échangés entre lui et le Grand Maître, et cela l'avait, dans un premier temps, profondément attristé de constater qu'un lien particulier semblait maintenant les unir. Mais très vite, Arkadi comprit que le moine était tout simplement parvenu à manipuler le Jeune Loup par quelque tour de passe-passe de son invention. Viktor ignorait à quel point le religieux était habile et, pour cette raison, le Loup en voulait encore plus à Raspoutine.

— Ahhh ! Raspoutine ! Je te méprise de te servir ainsi de lui ! s'exclama-t-il à voix haute. Comment Viktor, qui n'est encore qu'un enfant, peut-il deviner et voir tes manœuvres, alors que des adultes n'en ont même pas conscience ?

Arkadi fulminait intérieurement de voir le moine manipuler à sa guise les gens qui croyaient discerner en lui les qualités d'un saint homme. Il avait un tel talent dans le domaine qu'il déployait ses manigances sans que jamais personne ne devine ses vraies pensées.

— Suis-je donc le seul à comprendre qui est réellement cet homme ? Même les Piliers de l'Arcane semblent le laisser agir à sa guise. Pourquoi n'interviennent-ils pas ?

Arkadi sentait qu'il devait agir. Il ne pouvait laisser les choses évoluer plus longtemps, même s'il avait l'impression d'être le seul à voir le personnage tel qu'il était réellement. Le Chef de meute ressentait l'urgence de la situation ; il pressentait que quelque chose grossissait dans l'ombre, mais il ignorait encore quoi et, surtout, comment faire pour l'arrêter.

Certes, il avait de l'appui : il avait d'ailleurs reçu une lettre de son informateur qui le mettait encore et toujours en garde contre les intentions du prieur. Dans ce pli, son « ami et frère » lui suggérait de se rendre à Saint-Pétersbourg. Mais ce n'était pas si simple. L'ordre devait venir des Piliers de l'Arcane. Il ne pouvait décider par lui-même de s'y rendre. Même s'il était le sénéchal, cela ne lui donnait pas ce pouvoir. Et c'était uniquement sous l'exhortation des gardiens du secret que Raspoutine consentirait à cette idée, pas autrement.

Arkadi espérait très sincèrement que les choses se feraient rapidement, car l'influence de l'homme sur l'enfant ne pouvait aller qu'en augmentant. S'il se fiait à sa logique, le moine trouverait un quelconque subterfuge pour retenir Arkadi au monastère. Jamais Raspoutine ne consentirait à sa venue dans la capitale. Jamais. Ça, le sénéchal en était fermement convaincu.

Il avait l'impression que son Jeune Loup lui échappait, que le lien qui les unissait autrefois s'affaiblissait. Pour cela aussi, il en voulait terriblement au moine. À qui d'autre pouvait-il en vouloir ?

Les naseaux du cheval soufflaient de larges nuages de vapeur, mais la bête, une force de la nature, galopait sans avoir l'air de se fatiguer.

L'humidité due au brouillard infiltrait les vêtements du Loup, mais celui-ci n'en avait cure. Les caprices de la température ne viendraient pas à bout d'un homme de son espèce. Les Loups étaient entraînés à la survie, peu importe les conditions. D'ailleurs, l'agression, qui remontait à des mois maintenant, aurait eu raison de n'importe quel homme, mais pas de lui. Il y avait survécu. Ses plaies s'étaient cicatrisées, les fractures reconsolidées, et son corps avait retrouvé sa forme. La seule chose qui ne guérissait pas, c'était sa mémoire. Arkadi souffrait d'affreuses migraines à cause de son amnésie. Il ne parvenait toujours pas à se rappeler ce qui s'était passé ce jour-là dans les bois. Et cela jouait considérablement sur son humeur, il s'en rendait bien compte. Il rageait de ne pas se souvenir de cette attaque, car il avait l'impression de traîner constamment ce fardeau derrière lui au lieu de tourner la page et de continuer à vivre. Cela le frustrait, provoquant parfois des colères que son entourage ne comprenait pas. Arkadi vivait des heures difficiles depuis ce jour fatidique. Lorsqu'il faisait des efforts pour se souvenir, il avait alors la très nette impression d'être impuissant et de tourner en rond, comme un ours en cage. Il ne parvenait pas à retrouver les images de cet assaut et, tant que la mémoire ne lui reviendrait pas, il aurait cette impression angoissante d'être prisonnier de lui-même et de cet instant passé.

À cela s'ajoutait un autre sentiment, et ce, depuis le départ de Viktor pour Saint-Pétersbourg. Le Loup était accablé d'un étrange malaise : il se sentait inutile au monastère. La vie suivait le rythme des saisons, mais il ne s'y passait pas grand-chose. Le fait d'être nommé sénéchal le privait de missions aux quatre coins de la Russie, et le départ du Jeune Loup lui avait retiré le sentiment de faire quelque chose de bien et d'important.

Il ressentait de plus en plus le besoin de bouger, de changer d'air et de passer à autre chose, et espérait vraiment que les Piliers de l'Arcane l'enverraient à Saint-Pétersbourg. Il rêvait secrètement d'action, afin tout simplement de se changer les idées. Il eut une pensée pour sa tendre Ekaterina. Il l'aimait sincèrement et depuis si longtemps. Il ne se souvenait plus du jour où il en était tombé amoureux, puisqu'il avait l'impression de l'avoir toujours aimée. Mais il savait que, depuis quelque temps, la Louve ne partageait pas ses idées ni son besoin de changement. La fille de Gregori ne voyait pas d'un bon œil cette volonté de partir pour la capitale impériale, bien que Viktor, qu'elle aimait comme son propre fils, s'y trouvât déjà. Elle lui avait révélé qu'elle avait un mauvais pressentiment.

L'animal fendait le brouillard qui, à certains endroits, se faisait plus épais. Il était difficile pour Arkadi de s'orienter et de voir s'il approchait ou non de la ville, car même des paysages aussi familiers que ceux qui l'entouraient ne ressemblaient plus à rien, ainsi vêtus de brume. Il dépassa la vieille isba d'un berger qu'il connaissait bien, ce qui lui permit de se situer : il n'était plus très loin maintenant.

Encore quelques minutes de chevauchée et il allait atteindre la petite ville de Kostroma, où les habitants devaient avoir commencé leur journée. Lorsqu'il arriva aux abords des premières maisons, il tira sur les rênes de son cheval pour en ralentir l'allure. Il ne souhaitait pas attirer l'attention en entrant en trombe dans le village. Sa monture trotta jusqu'à la place centrale, sans avoir l'air de se presser. Là, à travers les lambeaux de la brume qui commençait à se déchirer sur le jour, il aperçut la carriole de l'homme qu'il espérait voir.

Il descendit de son cheval pour franchir à pied les quelques mètres qui restaient. L'équipage de l'apothicaire se composait d'une *troïka* et de trois chevaux. Sur tout le pourtour extérieur du véhicule, des herbes étaient suspendues à sécher. Une agréable odeur s'en dégageait, un mélange de valériane, de sauge, de camomille, et de mille et un autres parfums. Arkadi s'approcha du véhicule pour frapper trois petits coups sur le bois.

Aussitôt, la toile se souleva sur un vieillard au regard aussi curieux que celui d'un enfant qui découvre une boîte pleine de surprises. Il portait de petits binocles sur le bout de son nez. Son appendice, protubérant, retenait les lunettes sans qu'aucun cordon, aucune monture fut nécessaire. Elles tenaient, tout simplement, bien enchâssées sur son tarin. L'apothicaire était habillé chaudement malgré cette période de l'été ; il dormait dans son chariot, et les nuits étaient plutôt fraîches. Il ajusta sur ses épaules encore carrées une couverture de laine avant de porter son attention sur cet homme vêtu de noir qui venait de si bonne heure.

— Que puis-je pour vous, noble seigneur ?

— Vous ne me reconnaissez pas ? fit Arkadi en priant pour que le vieil homme ne l'ait pas oublié et qu'il ait fait ce qu'il lui avait demandé.

Un an qu'il attendait ce moment.

— Devrais-je ? répondit l'apothicaire en ajustant ses besicles pour mieux scruter son interlocuteur.

— Nous nous sommes vus, ici même, il y a un an. J'étais venu vous trouver pour vous demander quelque chose de particulier, une analyse à partir d'un… fragment.

Arkadi tentait d'éclairer les souvenirs du vieillard, mais il ne voulait pas non plus rentrer dans les détails précis.

L'homme fronça les sourcils. Son visiteur parlait, de toute évidence, à mots couverts. Puis il releva la tête.

— Ahhh ! oui, oui, je vois !… J'y suis, je vous reconnais, maintenant. Excusez-moi, mais je me fais vieux et parfois mes souvenirs se perdent quelque part dans ce coin-là, dit-il en désignant vaguement sa tête recouverte d'une épaisse chevelure grise parsemée de blanc. Montez, dit-il en entrouvrant plus grand l'épaisse toile cirée qui servait de porte. Montez !

— Je vous remercie.

— Je viens tout juste de me faire du thé, souhaitez-vous en boire une tasse bien chaude ? Avec ce brouillard, l'humidité nous transperce, n'est-ce pas ? Il me semble que les étés sont de plus en plus froids. Dans mon temps, ils étaient plus chauds et duraient plus longtemps !

Le Chef de meute répondait par petits signes de tête, tandis que l'apothicaire lui tendait une tasse pleine d'un liquide brunâtre et fumant.

— C'est un thé de ma composition, vous n'en trouverez pas de pareil ailleurs. Je fais mon mélange en y ajoutant d'autres plantes, c'est ce qui lui donne ce petit goût fruité... Une tasse par jour et vous vivrez jusqu'à cent ans, croyez-moi !

— Vivre jusqu'à cent ans ? Une vraie fontaine de Jouvence ! Vous devriez le commercialiser, vous feriez fortune ! En tout cas, il est savoureux.

— Je n'offre mes remèdes qu'aux plus humbles, je ne cherche ni la gloire ni la fortune, fit le vieil apothicaire en portant sa tasse à ses lèvres.

Il désigna un tabouret minuscule qui occupait le centre du convoi étroit et envahi de boîtes, de fioles, d'enveloppes, de sachets et de bouteilles sur lesquels des étiquettes indiquaient le contenu. Arkadi en lut quelques-unes qui se trouvaient tout près de lui : urine de jument, concentré de bile, poudre de *shiitake**, morilles* séchées. Il haussa les sourcils tout en se demandant à quoi pouvaient bien servir ces ingrédients, mais après une seconde de réflexion, il se dit qu'il n'était peut-être pas obligé de le savoir. Il reporta son attention sur l'herboriste qui buvait son thé avec un bruit effroyable et qui, à travers les vapeurs de la boisson fumante, détaillait avec curiosité son visiteur.

— Je me rappelle très bien de vous maintenant. Vous étiez venu me trouver dans l'espoir que j'analyse des cheveux et des ongles… Vous vouliez savoir si la personne à qui appartenaient ces reliquats avait été empoisonnée, c'est bien cela ?

Arkadi eut une pensée pour Iakov. Il opina du bonnet avant de répondre :

— Oui, exactement. Êtes-vous parvenu à faire ce que j'attendais de vous ?

— Mais oui, bien sûr ! Pour qui me prenez-vous ? Je suis un apothicaire, pas un charlatan ! Je sais comment préparer des panacées et des médicaments, je connais les secrets des plantes et de la nature. Par définition, je sais donc décomposer les éléments et les analyser, puisque c'est ainsi que l'on en dégage toutes les propriétés ! se récria l'homme en reprenant une gorgée de son thé.

Pour stimuler ses confidences, le Loup, patient, jugea bon de se montrer contrit.

— Je suis désolé, je n'ai pas voulu vous offenser.

— Ne le soyez pas, je vous comprends de vous méfier. Si un vieux fou circulait sur les routes de Russie pour vendre quelque potion à des paysans qui n'ont jamais le sou pour le payer, je penserais également que cet homme est fou !

Le Chef de meute attendait la suite, mais l'homme semblait lui aussi espérer quelque chose.

Le Loup sortit enfin de sa poche une bourse qu'il tendit à l'herboriste, qui la soupesa.

— Ça devrait aller, dit-il simplement avant de la faire disparaître dans la poche de son pantalon. J'ai effectué une analyse de ces restes que vous m'avez confiés, et je peux vous affirmer que les cheveux et les ongles contenaient des traces évidentes d'acide prussique. Et quand je dis des traces, je suis modeste, je devrais plutôt dire un taux élevé !

— De l'acide prussique ?

— Du poison ! C'est une forme de cyanure extrêmement violente et qui agit très rapidement. Difficile d'en réchapper une fois que ce poison est ingéré. La personne à qui appartenaient ces reliquats a bel et bien été empoisonnée. Ou, pour être plus exact, on l'a aidée à s'empoisonner, parce que, personnellement, je doute que cette mort soit due à une absorption accidentelle de cyanure, vous me suivez ?

— Oui, fort bien, fort bien. Continuez, je vous prie.

— Il n'y a rien à ajouter, si ce n'est que l'on peut détecter son utilisation à sa légère odeur d'amande amère qui demeure dans l'air.

— Oui, oui ! C'est bien ce que j'ai senti dans le gobelet que j'ai retrouvé à ses côtés. C'est une odeur très reconnaissable.

— Tout à fait. Ce poison est très toxique, comme je vous l'ai dit, et il a été employé par un individu habile et sans scrupule, et ce, de façon journalière. Il peut devenir une arme de choix lorsqu'on souhaite se débarrasser de quelqu'un sans éveiller les soupçons.

— Vous voulez dire que la victime doit le prendre à petites doses, sur une longue période ?

— Si l'on ne souhaite pas que la chose soit découverte, bien sûr. La personne qui absorbe d'un seul coup une forte dose ce poison présentera des symptômes physiques qui ne tromperont aucun médecin digne de ce nom, croyez-moi.

Arkadi acquiesçait de la tête. Évidemment, les choses étaient claires. Il comprenait maintenant les fréquents malaises d'Iakov et ceux de son père adoptif. Même s'il n'avait pu prélever une mèche de cheveux de la tête du Grand Maître Gregori, il était convaincu que le vieux magistère était mort, lui aussi, des effets pernicieux de ce poison, distillé à faibles doses par la main du même meurtrier. Cela ne faisait aucun doute dans son esprit.

— Et peut-on se procurer ce genre de poison facilement ?

— Quand on sait où chercher et que l'on en a les moyens, oui.

— Je vous remercie, dit enfin le Loup à l'apothicaire en se levant.

— Soyez sur vos gardes, jeune homme ! Celui qui emploie ce genre de moyen est visiblement prêt à tout… Bonne chance, et revenez me voir l'année prochaine, fit-il en faisant cliqueter la bourse dans sa poche.

Arkadi sourit en se demandant jusqu'à quel point l'homme était altruiste et ne pensait qu'à ces pauvres gens qui ne peuvent se déplacer dans une grande ville. De toute évidence, songea-t-il, le bonhomme, d'une grande bonté, n'est pas totalement dénué d'intérêt !

— Dites-moi, avant que je parte… Avec toute votre science, vous n'auriez pas, dans un de vos pots, de remède pour l'amnésie ? lança le sénéchal sur un ton léger, désignant de la main l'ensemble du magasin du pharmacien ambulant.

— Ah ! non ! Ce mal n'entre pas dans mes compétences. Il est lié à l'âme. Très souvent, les gens ne veulent pas se rappeler du passé, car les images qu'ils occultent sont trop douloureuses !

Le Chef de meute le regarda, l'air songeur.

— Bonne chance, mon ami. J'espère que nous nous reverrons. J'ai beaucoup aimé discuter avec vous.

Au moment où le Chef de meute posa le pied à terre, il eut un étourdissement et se retint de justesse à la structure de bois du chariot. Il plissa le front en secouant la tête comme pour reprendre ses esprits. L'apothicaire le regardait, s'apprêtant à descendre du chariot pour venir l'aider, mais le Loup l'arrêta d'un signe de la main.

— Non, non, inutile de vous déranger, ce n'est qu'un petit malaise. De la fatigue certainement, dit-il pour convaincre le vieil homme.

— Souhaitez-vous que je vous examine? demanda-t-il.

— C'est inutile, ça ira.

— Avez-vous fréquemment ce genre de malaises?

— J'ai eu un accident assez grave il y a quelques mois, et j'éprouve encore quelques faiblesses et de violents maux de tête, mais je vais beaucoup mieux, ne vous inquiétez pas. L'air frais sur le chemin du retour me fera le plus grand bien.

— Si vous le dites, conclut l'apothicaire qui ne semblait pas totalement convaincu. Mais méfiez-vous, les malaises ne sont jamais des symptômes bénins, ils sont très souvent liés à quelque problème plus sérieux.

— Je vous remercie encore, le salua le sénéchal en enfourchant son cheval.

Arkadi reprit la route en direction du monastère. Il avait maintenant la confirmation de ses doutes, après toutes ces années. Gregori et Iakov avaient bien été assassinés, et le Chef de meute était persuadé que l'auteur de ces crimes n'était nul autre que Raspoutine, ce diable qui se cachait sous la bure d'un moine et qui dégageait des parfums de sainteté.

Mais comment allait-il pouvoir le démontrer? Aucune preuve tangible ne reliait ces meurtres au prieur. Rien, dans ce que le vieil apothicaire venait de lui dire et dans ce que lui savait, ne rattachait Raspoutine à ces deux homicides. Iakov était bien mort d'empoisonnement, c'était clair maintenant, mais pour Gregori, il ne possédait pas la moindre attestation. Sa conviction ne reposait que sur des présomptions. Ses accusations ne tiendraient pas la route deux minutes devant un magistrat. S'il voulait que le moine fût accusé, il devait trouver des preuves nécessaires et irréfutables. Mais où les chercher ? Gregori et Iakov étaient morts depuis bien longtemps. Comment relier ces crimes à Raspoutine après tant d'années ? À l'époque de ses méfaits, le moine, habile, avait certainement fait disparaître toutes les preuves qui auraient pu mener jusqu'à lui.

Mais en poussant plus loin sa réflexion, Arkadi dut cependant admettre, bien malgré lui, que rien dans tout cela ne démontrait que Raspoutine était réellement un criminel. Il ne l'avait pas vu tuer Gregori ; il ne l'avait pas vu non plus verser le poison dans le verre d'Iakov. Alors, sur quoi reposaient ces accusations, au juste ? Une odeur d'amande amère dans un verre ? Quelques paroles incompréhensibles du conseiller en train d'expirer ? Iakov n'avait pas formellement identifié Raspoutine comme étant son assassin, tandis qu'il se mourait dans les bras du Loup, dans la bibliothèque. Non, les soupçons du sénéchal ne reposaient sur absolument rien, si ce n'est sa propre volonté à vouloir faire du prieur le coupable de ces deux drames qui avaient marqué sa vie.

Arkadi acheva sa chevauchée en repensant aux paroles de l'apothicaire. Il songea à la théorie du vieillard concernant l'amnésie et les souvenirs trop douloureux que le cerveau occulte volontairement. Il devait avouer que cette idée n'était pas bête. Elle pouvait même se révéler exacte dans certaines circonstances.

Lorsque son cheval franchit enfin les limites du domaine du monastère, Arkadi fut rappelé à la réalité. Les Loups, ainsi que les jeunes, étaient à l'entraînement, et le reste de la communauté vaquait à ses occupations quotidiennes.

Dans l'abbaye, à l'étage, une ombre se faufila derrière les épaisses tentures du grand salon. Arkadi leva les yeux vers les fenêtres avec l'impression étrange d'être observé. Il scruta la façade pour y déceler tout mouvement, mais ne vit rien ni personne.

Sans cesser de fixer les fenêtres, il ramena son cheval à l'écurie, puis rentra d'un pas pressé dans le monastère. Il espérait voir Viktor après son entraînement et passer du temps avec lui avant que l'enfant ne reparte pour Saint-Pétersbourg.

CHAPITRE 13

Le Loup se leva précipitamment de son fauteuil, où il venait de s'asseoir après avoir ressenti un autre malaise. Il courut en direction de la salle de bains et attrapa la bassine qui servait à sa toilette quotidienne. Il eut juste le temps de la saisir à deux mains avant d'y vomir le contenu de son estomac. Un nouveau spasme entraîna un deuxième vomissement, puis un troisième. Arkadi se laissa choir sur le sol, renversant la moitié du récipient sur lui. Il était très mal en point. Sa tête menaçait d'exploser et les murs dansaient autour de lui.

D'une main tremblante, il attrapa un linge blanc et le plongea dans la cuvette des toilettes. Sans prendre le temps de tordre la serviette dégoulinante d'eau, il la plaqua sur son visage fiévreux.

Mais la fraîcheur de l'eau n'apaisa pas son malaise. Un quatrième spasme accompagné d'horribles crampes abdominales provoquèrent de nouveaux vomissements. Sa tête tournait et il commençait à avoir la vision trouble.

Il lui fallait de l'aide, s'il ne voulait mourir là, dans la salle de bains, au milieu de ses vomissures. Arkadi parvint à se mettre debout et à se traîner jusqu'au seuil de sa chambre. L'appartement d'Ekaterina se trouvait à quelques mètres du sien, mais il ne put faire que trois pas. Sa chute provoqua un vacarme qui se répercuta dans les silencieux corridors du monastère. Aussitôt, la porte de la cellule contiguë à la sienne s'ouvrit sur la Louve qui découvrit le sénéchal évanoui en travers du passage. Elle se précipita vers lui pour soulever sa tête.

— Arkadi, qu'as-tu ? Réponds-moi…

Mais il était sans connaissance. À son état et à l'odeur acide et putride qu'il dégageait, Ekaterina comprit que le Loup était gravement malade. Elle courut aussitôt vers la cellule de la Louve Miroslava, pour lui demander de l'aide. Elles devaient ramener Arkadi dans sa chambre, jusqu'à son lit.

— Qu'a-t-il ? demanda son amie et sœur d'armes, plissant le nez à cause des émanations qui régnaient partout dans la chambre. Et cette odeur, c'est quoi ?

— C'est celle des vomissures… Je ne sais pas ce qu'il a, mais ça semble assez grave. Il faut faire quérir le docteur Yamirkovov, je sais qu'il est ici au monastère, car le jeune Rouben vient de se fracturer la jambe. Va le chercher, Miroslava, c'est urgent, dépêche-toi.

La Louve sortit de la chambre en trombe, tandis qu'Ekaterina se dirigeait vers la salle de bains pour y prendre de l'eau et un linge propre. C'est là qu'elle découvrit sur le sol la bassine au tiers pleine. Une partie de son contenu était renversée sur le sol dallé. Elle fronça les sourcils. L'odeur était si infecte qu'elle en eut un haut-le-cœur. Elle appliqua sur son nez le linge propre qu'elle venait de prendre, puis se pencha sur la cuvette pour en examiner le contenu. Le vomi était de couleur noirâtre et strié de filets de sang. Elle n'avait jamais vu cela auparavant.

Arkadi flottait au-dessus de sa propre chambre à coucher. Il voyait très clairement Ekaterina s'affairer autour de lui, épongeant son front d'un linge mouillé, mais il ne sentait rien. Elle était inquiète, ça se voyait. Des larmes coulaient sur ses joues décolorées par la peur. Le Loup comprenait qu'elle était terrifiée de le voir là, étendu, entre la vie et la mort. Dure année pour elle. D'abord, le départ de Viktor, puis son agression, et maintenant cette histoire à laquelle elle ne comprenait rien.

Elle lui parlait, l'appelait, le suppliait de rester avec elle. Mais il était si bien où il était.

Il vit Miroslava revenir avec le praticien, qui vivait presque en permanence au monastère, et Sevastian. Yamirkovov se pencha sur lui pour l'examiner attentivement. Il lui ouvrit les yeux, puis la bouche, écouta son cœur et ausculta son ventre.

Ekaterina s'adressait à lui tout en gesticulant en direction de la salle de bains. Elle pleurait, ce qui rendait ses paroles incompréhensibles. Sevastian l'accueillit dans ses bras pour tenter de la consoler. Arkadi vit une cinquième personne entrer dans son appartement : un domestique que l'on avait appelé pour nettoyer les vomissures répandues sur les dalles du cabinet de toilette.

Arkadi, errant au-dessus de cette scène, savait qu'il était en train de mourir. Il ressentait de la peine pour celle qu'il aimait, pour ses amis et pour Viktor. Mais il était si bien…

— Non, ce n'est pas encore le moment pour toi, entendit-il soudain clairement.

La voix semblait venir de partout autour de lui, mais il la reconnaissait parfaitement.

— Gregori, mon père. Comme vous m'avez manqué…

— Toi aussi, tu me manques, mon fils, mais ce n'est pas encore l'heure de nos retrouvailles.

— Mais je suis en train de mourir. Je ne veux pas retourner là-bas…

— Tu n'as pas le choix ! Tu ne vas pas mourir, tu vas t'en sortir encore une fois, car tu es fort.

— Ça fait deux fois que je meurs en peu de temps, deux fois que nous nous revoyons ici, dans ces lieux dont j'ignore tout, et deux fois que vous me renvoyez là-bas. Pourquoi ? Pourquoi s'acharner contre une telle évidence ? Je dois mourir.

— Tu te trompes. On cherche à t'éliminer, mais ça ne signifie pas que ton heure soit venue. Tu me vois, tu me parles, mais ce que tu vis là n'en est pas pour autant réel. Je ne suis peut-être que le fruit de ton imagination, de ton inconscience.

— Vous n'êtes pas réel ?

— Je suis mort, Arkadi, je ne peux pas être réel.

— Pourquoi alors m'apparaissez-vous ?

— Je viens de te le dire ! Je suis ta conscience. J'apparais dans tes rêves pour te faire comprendre des choses que tu analyses lorsque tu es éveillé. Tu saisis ? Tu ne me parles pas réellement, Arkadi. Je ne suis qu'une simple image que tu transposes dans ton esprit, dans ta raison. Je suis là pour t'aider à y voir plus clair, pour t'aider à comprendre ce qui t'arrive. Tu dois maintenant t'interroger sur les raisons qui expliquent cet état, dit le vieux sage en désignant la scène qui se jouait à leurs côtés. Qui cherche à t'éliminer, Arkadi ? Tu dois bien te douter que tu n'es pas en train de succomber à une mort naturelle…

Le Loup fronça les sourcils, soudain lucide. Son raisonnement se mettait en marche. Un voile se déchirait devant son esprit. À demi vivant, luttant contre la mort, il revit devant lui se jouer des scènes qui se succédaient à une vitesse folle, puis le film de sa vie s'arrêta sur cette journée de printemps : l'aurore se levait et il était dans sa chambre, abattu et déprimé par le départ de son fils. À l'image suivante, il était seul dans la forêt, l'arc à la main, mettant en joue un magnifique cerf qui ne détectait pas sa présence, puis c'était le trou noir. On le battait, la douleur était intense… mais le pire, ce n'étaient pas les coups qu'il recevait, mais son incapacité à se défendre. On le contrôlait. Il sentait parfaitement une emprise extérieure étouffer sa volonté. Il ouvrit les yeux. Un homme était penché sur lui. Il le reconnut.

« Raspoutine… » murmura-t-il en sentant son propre sang couler dans sa gorge.

« Tuez-le… » entendit-il dans un écho lointain.

Couché sur son lit, des compresses d'eau froide sur le front pour faire baisser sa fièvre, Arkadi se releva d'un bond sous les regards médusés d'Ekaterina, de Miroslava, de Sevastian et du praticien, qui le dévisageaient comme s'ils voyaient un mort revenir à la vie.

— Vous avez été victime d'un empoisonnement..., l'informa le médecin tandis qu'il finissait d'examiner le Loup qui venait de ressusciter devant ses yeux.

— À l'acide prussique !

Le praticien le dévisagea, étonné.

— Comment le savez-vous ?

— Je le sais, c'est tout. Suis-je hors de danger ? Est-ce que je risque d'avoir d'autres malaises ?

— Très honnêtement, je l'ignore. Il y a dix minutes à peine, j'allais confirmer votre décès, et là, vous me parlez. Votre constitution est étonnante, je n'ai jamais vu cela de ma vie. Vous devriez être mort. D'après vos symptômes, la dose que vous avez ingérée devait être élevée, alors quant à savoir si vous aurez d'autres crises....

L'homme secoua négativement la tête.

— Ce qui importe maintenant, c'est de découvrir la source de cet empoisonnement. Par quelle voie ou de quelle façon ce poison s'est introduit dans votre organisme ? Une prochaine dose pourrait vous être fatale. Vous n'aurez pas, je crois, de seconde chance ! Nous pouvons cependant espérer que votre corps ait identifié la toxine et, donc, que vous soyez jusqu'à un certain point immunisé.

— Donc, je ne cours plus de risques ?

— Ce n'est pas ce que je dis. Une nouvelle dose tout aussi forte que celle que vous venez de recevoir vous tuerait aussi certainement qu'elle tuerait un cheval, mais il est possible, je dis bien possible, qu'une faible dose ait moins de conséquences sur vous à court terme. Vous en mourrez, certes, puisqu'il s'agit de cyanure, mais plus lentement que quelqu'un d'autre !

— Je vous remercie de vos soins, docteur Yamirkovov.

— Oh, vous savez, je n'ai pas fait grand-chose… Vous étiez mort, je ne pouvais plus rien y faire. Le poison s'était répandu dans votre organisme, il était trop tard. C'est un vrai miracle que vous soyez en vie, vous savez. Ce qui prouve encore une fois que les lois qui régissent nos connaissances scientifiques ne sont pas immuables. Je vous conseille de vous reposer et, surtout, de découvrir la provenance de ce poison.

Quelques jours plus tard,
toujours au monastère Ipatiev

Ekaterina préparait une tisane pour Arkadi. Une décoction à base de plantes qu'elle allait elle-même cueillir dans les champs et aux alentours. Après les panacées du praticien que devait ingérer le Loup depuis son empoisonnement, elle songea que ses tisanes allaient terminer de le remettre sur pied. Elle transvida le contenu bouillant dans une théière, referma le couvercle pour en conserver tous les arômes, avant de se rendre au chevet de son amoureux.

Le Loup reprenait du mieux et rapidement. Durant les heures qui suivirent son retour parmi les vivants, il dégageait une certaine quiétude qu'il n'avait pas ressentie depuis des semaines. Sevastian et la Louve demeuraient étonnés, mais ravis de le voir si calme, lui qui venait de passer encore une fois par l'antichambre de la mort. Cette étrange histoire d'empoisonnement s'ajoutait à celle de son agression, et cela les inquiétait tous les deux énormément. Et ils n'étaient pas les seuls. Tout le monde au monastère s'interrogeait sur ces deux attaques qui visaient directement le sénéchal. Vsevolov, le conseiller de Raspoutine et du sénéchal, était d'ailleurs en train de rédiger son rapport sur le sujet. Le Grand Maître était reparti avec Viktor la veille de ce nouvel attentat contre le Loup.

Arkadi avait demandé à voir Ekaterina et Sevastian, et ce fut avec bonne humeur que la fille de Gregori se rendit dans ses appartements. Le Chef de meute se trouvait déjà là quand elle entra. Elle posa sa théière sur une table près du lit du convalescent et en versa lentement le contenu dans une tasse, avant de les rejoindre.

— Tiens, ça te fera du bien.

Arkadi lui sourit tendrement avant de prendre la tasse de ses mains et de la porter à ses lèvres, mais arrêta aussitôt son geste. Il huma le fumet qui se dégageait de la tisane. Ekaterina le regardait, un peu étonnée, lorsque le Loup tendit la tasse à Sevastian qui se trouvait juste à côté de lui.

— N'y goûte pas, mais dis-moi ce que ça sent, lui ordonna-t-il.

Le Chef de meute prit la tasse avec précaution avant d'en renifler l'odeur, tandis que le sénéchal dévisageait étrangement la Louve.

— Humm, je ne sais pas... Ça dégage une odeur que je connais, mais je ne parviens pas à l'identifier...

— Je vais te dire ce que ça sent. Ça sent l'amande.

— Oui, oui, tu as raison. C'est bien un parfum d'amande qui se dégage de cette tisane.

Le Loup allait en prendre une gorgée lorsque la puissante main d'Arkadi l'en empêcha.

— Ne bois pas ça, c'est du poison… Ce que tu sens, Sevastian, c'est l'odeur du cyanure ! laissa tomber Arkadi sur un ton dur et glacial, sans pourtant quitter des yeux Ekaterina qui semblait totalement abasourdie par ses propos.

Elle secouait la tête négativement, tandis que son regard vert ne quittait pas celui de son amant.

— Du cyanure ? s'écria son ami et frère d'armes. Mais que dis-tu là ? Je ne comprends pas…

— Moi non plus ! gronda le sénéchal.

Ekaterina demeurait toujours muette, incapable de prononcer un seul mot, puis elle bredouilla :

— Mais… mais c'est impossible, Arkadi… c'est impossible. Je suis moi-même allée cueillir ces plantes… C'est impossible, tu te trompes… Du cyanure ? Voyons, que me dis-tu là ?… Es-tu en train de m'accuser de tentative de meurtre ? Crois-tu sérieusement que je cherche à te tuer, que je pourrais faire ça ?

La Louve avait le regard fiévreux. Les traits de son visage exprimaient toute la stupeur que pouvaient provoquer en elle les insinuations de son amoureux. Il était en train de l'accuser, c'était à n'y rien y comprendre. Elle tourna la tête vers

Sevastian qui la dévisageait lui aussi avec ahurissement.

Elle recula de quelques pas, tout en continuant à secouer la tête.

— Je ne t'accuse de rien, Ekaterina, je cherche à comprendre. Tu m'apportes une tisane que tu dis avoir préparée avec des plantes que tu es allée chercher toi-même, que tu as cueillies de tes mains… Je veux savoir ce qui se passe, c'est tout.

— Mais je ne sais pas ! Je ne comprends pas…

Sa voix devenait nerveuse.

— Je ne possède pas ce genre de produit toxique dans ma pharmacopée… Je n'emploie jamais de poison. Je n'utilise que des plantes, uniquement des plantes ! Tu crois sérieusement que je cherche à te tuer ?

La Louve était au bord des larmes lorsque la main du sénéchal se posa sur son bras.

— Calme-toi. Je ne t'ai accusée de rien, je viens de te le dire. Je veux juste comprendre comment il se fait que tu m'apportes une tisane et que celle-ci renferme un poison mortel. Nous devons trouver comment ce produit toxique s'est retrouvé dans ta théière.

Ekaterina se dégagea violemment du bras d'Arkadi, dardant sur lui ses magnifiques yeux verts empreints d'incompréhension et de fureur. Une mèche de ses cheveux auburn venait de retomber sur son regard fiévreux.

— Je ne peux pas croire, dit-elle à travers ses larmes, que tu me croies capable d'une telle chose… moi qui t'aime tant…

Sans rien ajouter, elle tourna les talons et quitta l'appartement d'Arkadi. Sevastian allait s'élancer à sa suite, mais le sénéchal le retint.

— Non, laisse-la. Elle va revenir et je m'expliquerai avec elle. C'est entre elle et moi, uniquement. J'ai des choses à te dire. Je sais bien qu'Ekaterina n'a pas ajouté volontairement l'acide prussique à son mélange de plantes. Mais c'est tout de même elle qui l'a mis à infuser, et c'est elle qui est venue me le porter, comme elle le fait depuis des semaines déjà. Ekaterina n'est que l'instrument. Quelqu'un se sert d'elle et de ses décoctions pour m'empoisonner. Elle est innocente, mais elle œuvre inconsciemment pour quelqu'un qui cherche à me tuer. Et c'est également par elle que cette personne est parvenue à tuer Iakov !

— Que me dis-tu là, Arkadi ? Mais de quoi parles-tu ? Pourquoi aurait-on tué le conseiller, et pourquoi voudrait-on te tuer, toi ?

— Écoute, je ne peux pas tout t'expliquer dans les détails, mais je veux que tu me fasses confiance et que tu croies ce que je te dis. Je ne me trompe pas, crois-moi. Je sais certaines choses. Une personne cherche à me faire taire en employant le moyen le plus sûr, la mort ! Cet empoisonnement était la deuxième tentative pour m'éliminer. J'ai identifié la personne qui a commandité mon attaque dans les bois.

— Tu as recouvré la mémoire ?

— Oui.

— Mais depuis quand ? Et pourquoi n'as-tu rien dit ?

— Depuis quelques jours, seulement. Je sais maintenant qui cherche à me tuer.

— J'avais moi aussi découvert que l'agression dans les bois n'était pas le fruit du hasard, que tu n'étais pas tombé sur une bande de détrousseurs, mais plutôt sur des hommes chargés de t'assassiner. Mais j'ignore pourquoi. Et quel est le lien avec le pauvre Iakov ?

Sevastian attendait, suspendu aux lèvres de son frère d'armes.

— Je t'expliquerai cela plus tard, mais pour le moment, tu dois me promettre de n'en parler à personne, et surtout pas à Ekaterina.

Le Loup agita la tête pour manifester son accord.

— Raspoutine est celui qui souhaite m'évincer, laissa tomber le sénéchal. Il cherche à me tuer parce que je l'ai reconnu dans la forêt lorsque ses bandits m'ont attaqué. Il veut se débarrasser de moi parce qu'il sait que je sais qu'il a empoisonné Iakov et… Gregori.

Sevastian ouvrait de grands yeux.

— Il souhaite avoir la mainmise sur Viktor. Pourquoi tout cela ? Je l'ignore encore. J'ignore pourquoi il veut mon fils à ses côtés, pourquoi il a tué Gregori et Iakov et quels sont ses desseins, mais je dois le découvrir. Et je veux que tu m'aides. Il y a certaines choses que je ne m'explique pas et nous devrons en percer le sens caché. Es-tu avec moi ?

La main de Sevastian attrapa celle de son ami et la serra avec force.

— Oui, bien sûr, je suis à tes côtés. Tu peux compter sur moi. Et pour Ekaterina, que vas-tu faire ? Vas-tu lui répéter ce que tu viens de m'apprendre ?

— Je ne sais pas encore… Je ne sais pas si je dois lui révéler que son père a été assassiné. Je ne sais pas si je dois lui parler d'Iakov. Je dois réfléchir à tout cela. Mais je sais qu'elle n'est qu'un pion entre les mains de Raspoutine et que c'est à travers elle qu'il a cherché à m'atteindre. Pour cela et pour le reste, je jure de le faire payer très cher.

— Mais le prieur est parti la veille de ton empoisonnement !

— Je sais ! Mais mon empoisonnement ne date pas de ce jour-là. Il a été progressif, à petites doses, pour que je ne me doute de rien. Il doit y avoir dans le monastère quelqu'un qui travaille sous ses ordres. Quelqu'un qui a mélangé le cyanure aux extraits de plantes d'Ekaterina, en sachant qu'elle me donnait depuis des semaines des tisanes et des décoctions qui devaient renforcer mon organisme. Il y a forcément une personne dans l'abbaye qui œuvre pour le moine, parce que lui-même est en permanence à Saint-Pétersbourg et qu'il n'est pas venu au monastère depuis mon agression. Non, quelqu'un ici fait le sale boulot à sa place.

— Comment allons-nous procéder ?

— Dans un premier temps, nous devons découvrir des preuves qui nous permettront de faire accuser Raspoutine d'assassinat et de tentatives de meurtre. J'ai des amis qui cherchent eux aussi à se débarrasser du moine, car son influence sur le tsar déstabilise le pouvoir. Nous allons entreprendre une croisade contre cet homme et nous trouverons le moyen de le faire tomber. Ses heures sont comptées, tu peux me croire.

Saint-Pétersbourg,
plusieurs mois plus tard

Le ministre Smirovolitch pressait le pas. Il franchit les portes et traversa les couloirs menant au bureau du tsar, presque en courant, sous le regard étonné de quelques personnes qui se trouvaient là et qu'il dépassa. Il s'arrêta devant la double porte du bureau de Nicolas II et frappa deux petits coups discrets.

— Entrez !

Le ministre entrebâilla un des deux battants pour se faufiler à l'intérieur.

— Smirovolitch ! Que me vaut l'honneur de cette visite matinale ? Le conseil des ministres ne se réunit que dans deux heures.

— Une terrible nouvelle vient de nous être transmise, dit l'homme en s'approchant du bureau du tsar.

L'empereur était en train de rédiger sa correspondance. Il posa sa plume pour indiquer à son ministre qu'il l'écoutait.

— L'archiduc François-Ferdinand* vient d'être assassiné à Sarajevo, Votre Majesté.

À suivre...

Des personnages plus grands que nature

Alexandra Fedorovna Romanova : la tsarine (1872-1918). Impératrice souveraine de Russie, née en Allemagne, de son vrai nom Alexandra de Hesse-Darmstadt.

Alexandre Pavlovitch Romanov : mieux connu sous le nom d'**Alexandre Ier**, tsar de Russie et roi de Pologne (1777-1825). Son règne coïncida avec celui de Napoléon Bonaparte, qu'il combattit à plusieurs reprises jusqu'à la bataille victorieuse de 1814.

Alexis Nicolaïevitch Romanov : grand duc et *tsarevitch*, prince héritier du trône (1904-1918). Alexis est le cinquième et dernier enfant du tsar Nicolas II et de son épouse, Alexandra Fedorovna. Ses proches le surnommèrent « baby » à cause de sa beauté et de sa fragilité. Quelque temps après sa naissance, les médecins découvrirent que l'enfant etait hémophile. Cette particularité ébranla sérieusement la tsarine qui entoura d'un soin extrême les activités et la vie de son fils. Cette attention développa chez le garçon un caractère capricieux et colérique. Alexis fut très près de ses sœurs, plus particulièrement d'Anastasia et de Maria.

Anastasia Nicolaïevna Romanova : grande duchesse et quatrième enfant du couple royal (1901-1918). Elle fut surnommée par ses proches « Nastya », ou « l'enfant terrible ». Anastasia, rebelle, n'était pas comme ses sœurs. Elle possédait un tempérament plus rêveur et souhaitait devenir actrice. Elle se passionnait pour le cinéma, le théâtre, la photographie et la peinture. Véritable garçon manqué, elle fut celle qui respecta le moins l'étiquette et la bienséance.

Anna Vyroubova : (1884-1964), épouse d'Alexis Vyroubova, lieutenant de vaisseau et alcoolique notoire reconnu pour ses excès. La tsarine Alexandra Fedorovna Romanova la prit sous son aile, et la jeune femme devint rapidement sa demoiselle d'honneur, son amie et confidente. Elle exerça une grande influence sur l'impératrice et devint même l'amie des enfants du tsar. Anna Vyroubova rencontra Raspoutine en 1909 chez la grande duchesse Militza de Monténégro et tomba littéralement sous le charme du moine qu'elle suivit partout par la suite. Elle l'invita chez elle et dans toutes les soirées mondaines, et alla même jusqu'à le suivre en Sibérie en 1911.

Dimitri Pavlovitch Romanov : grand duc de Russie (1891-1942). Son père, Paul Alexandrovitch, fut banni de Russie par le tsar Nicolas II (son frère), pour avoir épousé la femme d'un colonel malgré l'interdiction de l'empereur.

Dimitri vécut en Russie avec sa sœur Maria Pavlovna de Russie, dont il était très proche. Ils retrouvèrent les privilèges liés à leur rang ainsi que leurs titres quand Nicolas II autorisa le retour de son frère, après que celui-ci eut combattu pour la Russie durant la Première Guerre mondiale. Le grand duc était reconnu pour sa beauté et son succès auprès des femmes. Il eut pour amante, entre autres, Coco Chanel. C'est lui qui dessina le flacon du célèbre parfum N°5. Jugé par le Conseil pour une affaire de meurtre, il s'exila en Perse. Il ne retourna jamais vivre en Russie, mais passa les dernières années de sa vie en France.

Felix Youssoupoff, prince et comte Soumakoroff-Elston (1887-1967). Il détint l'une des plus grosses fortunes de Russie et d'Europe. Il épousa la nièce du tsar, Irina Alexandrovna.

François-Ferdinand de Habsbourg : archiduc d'Autriche (1863-1914). Il est le neveu de l'empereur François-Joseph. Son assassinat à Sarajevo fut un des éléments déclencheurs de la Première Guerre mondiale (1914-1918).

Maria Nicolaïevna Romanova : grande duchesse, troisième enfant de Nicolas II et d'Alexandra Fedorovna (1899-1918). Surnommée par ses proches « Mashka » ou « l'ange ». C'était une jeune fille optimiste et exemplaire : elle jouait du piano, se montrait attentive et dévouée envers les autres.

Maria était d'une grande beauté avec son épaisse chevelure châtain, ses grands yeux bleu foncé et son magnifique sourire. Elle passa beaucoup de temps à s'occuper d'Anastasia et d'Alexis.

Militza : grande duchesse de Monténégro (1866-1951). Elle fut l'épouse du grand duc Peter Nicolaevitch de Russie. Selon l'histoire officielle, c'est elle qui introduisit Raspoutine dans la haute société russe, et c'est chez elle que le moine rencontra pour la première fois Anna Vyroubova, qui s'empressa de le présenter, à son tour, à la famille royale.

Napoléon Bonaparte : premier consul, puis empereur (1769-1821). Napoléon a laissé à la France non seulement ses grandes victoires militaires, mais aussi son génie bâtisseur et ses réformes sociales. C'était un visionnaire aux idées modernes. Il instaura le Directoire, le pouvoir exécutif composé de deux assemblées : les Cinq-Cents et les Anciens. Il créa, entre autres, la Banque de France, la Légion d'honneur, et publia le Code civil. Il mourut en exil à Sainte-Hélène, une île britannique de l'Atlantique sud située à mille huit cent cinquante kilomètres des côtes africaines.

Praskovia Feodorovna : Jeune paysanne que Raspoutine aurait épousée en 1888, alors qu'il était âgé de dix-huit ans. Selon les données historiques découvertes sur cette union, elle lui aurait donné cinq enfants, dont deux seraient morts prématurément. Selon certaines sources, le *staretz* aimait profondément sa femme, qu'il avait abandonnée en Sibérie, et revenait régulièrement vers elle.

Zinaïda Youssoupoff : princesse et unique héritière de la puissante famille Youssoupoff (1861-1939). Elle épousa le comte Soumakoroff-Elston avec qui elle eut deux fils : Nicolas, qui mourut dans un duel, et Felix, qui connut également un destin particulier. Immensément riche, la famille Youssoupoff possédait seize châteaux et palais, en plus d'une partie des industries de la Russie. C'était une des familles les plus riches d'Europe.

Un peu de symbolisme pour mieux comprendre certains choix de l'auteure

Échelle : Symbole très présent dans différentes sociétés secrètes et qui se trouve très souvent au centre d'épreuves, comme chez les bouddhistes, les chamans et les francs-maçons. L'échelle est très présente dans les Saintes Écritures et au sein de différentes religions. Elle représente bien souvent l'ascension, la valorisation, l'échange, etc. Le nombre de barreaux la composant est également symbolique.

Féminin et le masculin (le) : Les symboles du féminin et du masculin formant une étoile à cinq branches représentent les sommes paires et impaires du féminin et du masculin. Le symbole de l'étoile à six branches est formé de deux triangles juxtaposés, l'un pointant vers le haut et l'autre, le bas. Les deux étoiles représentent, entre autres, l'union du bien et du mal, l'équilibre parfait entre le féminin et le masculin, entre le haut et le bas.

Pentacle (un) : Représentation d'une étoile dans un cercle. Le pentacle est aussi le symbole de la cosmologie : l'Esprit (masculin), le Feu (masculin), l'Air (masculin), l'Eau (féminin) et la Terre (féminin) : trois symboles impairs et deux symboles pairs.

Pentagramme (un) : Le pentagramme se présente sous deux formes : une étoile composée de cinq ou de six angles (hexagramme). Le pentagramme représente beaucoup de choses dans l'univers des symboles, mais retenons ici qu'il est le signe de la puissance, de la connaissance et de la conjuration. Le pentagramme étoilé est plus présent dans la tradition maçonnique.

Pilier : Représente le centre du monde, la source et le canal de l'existence. Osiris, dans la mythologie égyptienne, est bien souvent représenté sous la forme d'un pilier. C'est le symbole du principe organisateur de la société.

Quelques mots et dénominations que l'on connaît moins

Alezan (e) : Se dit d'un cheval dont la robe et les crins sont d'un jaune rougeâtre.

Arcana arcanorum : En latin, se traduit par le secret des secrets.

Ariane, fil d' : Locution désignant le fil que l'on doit suivre jusqu'à la sortie. Dans la mythologie grecque, Ariane, fille du roi Minos, aurait donné à Thésée une pelote de fil qui devait l'aider à sortir du labyrinthe construit par Dédale pour enfermer le Minotaure, où il devait aller tuer celui-ci, à la condition qu'il l'épouse une fois sorti.

Bambou (lattes de) : Supports d'écriture utilisés dans la Chine antique. Sur chaque latte était écrite une phrase, et chacune était reliée aux autres par une cordelette. Une fois le livre écrit, il était enroulé sur lui-même. Chaque rouleau pesait un certain poids ; une charrette était nécessaire pour le transporter. Rappelons ici que ce sont les Chinois qui ont inventé le papier, quelques siècles plus tard.

Bolchevik ou bolchevique (un ou une) : Individu appartenant à la faction du Parti ouvrier social-démocrate russe qui suivit Lénine après la scission, en 1903, d'avec les mencheviks.

Caporal, le petit : Sobriquet donné à Napoléon Bonaparte, à cause de sa petite taille.

Carcajou (un) : Mammifère carnivore des régions boréales, au corps trapu et massif (*Le Petit Robert*, 2008).

Caryatide (une) ou cariatide : Statue féminine servant de support vertical.

Cosaque (un ou une) : Nom donné à des populations semi-nomades d'Europe orientale. Ils provenaient des steppes situées au nord de la mer Noire et des montagnes du Caucase, et à l'est vers le mont Altaï. Le mot *kozak* signifie « homme libre ». Ce sont des combattants qui vendent leurs services en tant que messagers, mercenaires ou agents secrets.

Donne (la) : Distribution des cartes au jeu. Nouvelle donne : situation nouvelle résultant de changements importants.

Dynastie (une) : Succession de souverains d'une même descendance.

Frère lai (un) ou sœur laie (une) : Religieux ou religieuse non admis en communauté et qui assure pour celle-ci les services matériels.

Grabataire (un ou une) : Se dit d'un malade qui ne peut quitter son lit.

Grazie Santo Padre : En italien, se traduit par : « Merci, Saint-Père. »

Hémophilie : Maladie héréditaire, transmise par les femmes et n'atteignant que les hommes. Elle se caractérise par une tendance plus ou moins grave aux hémorragies du fait de l'insuffisance d'un facteur de coagulation.

Icône (une) : Représentation d'image sacrée du Christ, de la Vierge, de saints et d'anges, typiquement russe. Généralement peinte sur des panneaux de bois, elle se distingue par ses couleurs éclatantes. Elle est très représentative de la ferveur religieuse des Russes orthodoxes. Chaque foyer, de la plus humble chaumière au palais des tsars, possède son icône protectrice.

Ingénue (une) : Personne qui agit et parle avec innocence, d'une candeur un peu sotte, voire même simple et naïve.

Iota (un) : Neuvième lettre de l'alphabet grec, elle correspond au *i* français, L'expression « pas un iota » signifie : pas la moindre chose, pas le moindre détail.

Isba (une) (en russe : *izba*) : Habitation faite de rondins de bois de sapin, généralement sommaire et réservée aux paysans.

***Kalatchi* (un)** : Petit pain torsadé.

***Kasha* (une)** : Bouillie de céréales ressemblant à du gruau, à laquelle on ajoute du lait de vache ou de chèvre.

Kopeck (un) : Pièce de monnaie faite en aluminium et en bronze. Les kopecks existent en pièces d'un, trois, cinq et dix (pour leur valeur, voir rouble impérial).

Koulibiak **(un)** : Pâte levée de forme ovale ou rectangulaire, farcie de céréales, de viande ou de légumes.

Kremlin (le) : Ce terme désigne une forteresse située dans une ville. Le Kremlin se trouve dans le quartier central de Moscou et il domine, entre autres, la célèbre place Rouge et les rives de la Moskova. La première mention de cet édifice se retrouve dans des écrits datant de 1331. Ancienne résidence des tsars, le Kremlin a été le siège du gouvernement soviétique de 1918 à 1991, moment de la dissolution de l'URSS. Il est entouré d'importants édifices, d'églises et de palais, et abrite les sépultures de 47 tsars. Il accueille aujourd'hui le siège du gouvernement russe actuel.

Lad (un) : Garçon d'écurie qui soigne les chevaux.

Ma mie : Locution ancienne qui provient de « m'amie », mon amie.

Morille (une) : Champignon des bois et des montagnes, toxique s'il est mangé cru, mais comestible après la cuisson (*Le Petit Larousse Illustré*, 2009).

Moujik (un) : Dans l'ancien régime (la Russie impériale), paysan dont la situation était comparable à celle des serfs*. Aujourd'hui, le terme « moujik » désigne quelqu'un de pauvre.

Néophyte (un ou une) : Dans l'Église primitive, nouveau converti. Adepte récent d'une doctrine, personne récemment entrée dans un parti (*Le Petit Larousse Illustré*, 2009).

***Okhrana* (l')** : Une section de la police secrète impériale, très redoutée, active de 1881 à 1917. Elle imposa une surveillance implacable à tous les paliers de la société russe et contrôla entièrement les écrits et la pensée. Ses arrestations menaient tout prévenu dans les mines de Sibérie, condamné aux travaux forcés à perpétuité. Pour appliquer ses lois et protéger le pouvoir, cette organisation disposait de plus de 20 000 agents secrets et agents infiltrés, en Russie et ailleurs.

Orant, e (un ou une) : Statue d'homme ou de femme représenté dans une attitude de prière, les mains jointes.

Palais d'Hiver, ou Ermitage (l') : Situé sur la place des Palais, à Saint-Pétersbourg, ce palais de 350 pièces fut érigé sous le règne de Catherine II, dite « la Grande ». Amie des artistes, mécène et passionnée d'art, elle fit construire cet édifice pour y recevoir les chefs-d'œuvre du monde entier. Aujourd'hui, l'Ermitage est un musée comptant pas moins de 3 millions d'objets, et regroupant des collections d'art provenant de l'Antiquité orientale, grecque, romaine et islamique, de la Renaissance italienne, et de peintures issues des XIXe et XXe siècles. On y retrouve des œuvres de Giorgione, Léonard de Vinci, Michel-Ange, Raphaël, Titien, Monet, Renoir, Degas, Van Gogh, Gauguin et beaucoup d'autres.

Pater: Prière en latin qui commence par les mots *Pater Noster*, c'est-à-dire Notre Père.

Peterhof: Palais surplombant le golfe de Finlande, sur la Baltique. La résidence à la façade ocre et blanche est appelée le « Versailles russe » et constitue une merveille grâce à ses jardins, ses fontaines et sa construction en terrasses.

Pope (un) : Prêtre de l'Église orthodoxe slave (*Le Petit Larousse Illustré*, 2009).

Rouble impérial: Unité monétaire principale de l'empire russe jusqu'à la révolution soviétique, période où il fut remplacé par le Rouble soviétique.

1 rouble impérial = *1 pièce d'or* = *15 roubles*
un demi-impérial = *7 roubles 50 kopecks*
1 rouble = *100 kopecks*

Scriptorium (un): Atelier monastique d'écriture.

Sénéchal (un): Historiquement, grand officier qui commandait l'armée et rendait justice au nom du roi. D'un point de vue ésotérique, haut grade dans certaines sociétés secrètes, comme les Templiers.

Sépia: Matière colorante brune utilisée autrefois; teinte des anciennes photographies.

Serf (un), serve (une): Personne astreinte au servage, qui doit dépendre d'une personne, d'un maître.

Shiitake **(un)** : Mot japonais désignant un champignon, que l'on consomme frais ou séché.

Staretz **(un)** : Titre donné à des moines laïques ou religieux que l'on venait consulter en qualité de prophètes.

Stuc (du) : Enduit imitant le marbre, composé de plâtre, de colle et de poussière de marbre. Généralement utilisé pour les éléments décoratifs.

Troïka **(une)** : Mot russe désignant un groupe de trois chevaux attelés de front et qui tirent un véhicule comme un landau ou un traîneau.

Tsarevitch ou grand duc : Désigne le fils ou le petit-fils du tsar.

Tsarskoïe Selo : Aujourd'hui appelé Pouchkine. C'est là que se situe le palais d'Alexandre, à 25 kilomètres au sud de Saint-Pétersbourg. Le domaine, immense, comprend plusieurs bâtiments comme l'arsenal, l'île des enfants, le théâtre chinois, la chapelle, les écuries, le parc animalier (avec ses lamas et ses éléphants), le chenil, la tour blanche, les ruines de l'ancien palais, les garages, etc.

Vélin (un) : Peau de veau ou de mouton grattée et préparée pour l'écriture. Le matériau est plus fin que le parchemin.

Verste (une) : Mesure itinéraire en usage en Russie, valant mille soixante-sept mètres.

La production du titre *Les Loups du tsar, La loyauté et la foi* sur 2 839 lb de papier Enviro antique naturel 100m plutôt que sur du papier vierge aide l’environnement des façons suivantes :

Arbres sauvés : 24

Évite la production de déchets solides de 696 kg

Réduit la quantité d’eau utilisée de 65 797 L

Réduit les matières en suspension dans l’eau de 4,4 kg

Réduit les émissions atmosphériques de 1 527 kg

Réduit la consommation de gaz naturel de 99 m^3